La suora giovane

Giovanni Arpino

Einaudi 1960

La suora giovane

10 dicembre 1950, domenica

Non ho coraggio.

Se riesco a stare chiuso in casa è perché non so piú dove sbattere la testa. Ho passeggiato, grazie a questo smorto sole di dicembre, sono stato al cinema, ho letto il giornale. Non è ancora sera ed eccomi di nuovo qui, incerto se telefonare o no a qualcuno, se sdraiarmi sul letto o aprire la radio. Appena smetto di fare, sprofondo.

Mi vergogno. E non so se riuscirò a venir fuori da questa vergogna. Per un uomo di quarant'anni, che ha sempre cercato di stare nell'ordine, è una brutta storia. I pensieri mi ballano nella testa e appena cerco un appiglio eccomi risbattuto ancor piú violentemente contro questa vergogna, e contro la vergogna di vergognarmi. Forse potrei sollevarmi da questa sedia e radermi. Ma dopo?

Mi sento ridicolo, senza piú equilibrio, come se camminassi su strati di lana senza fondo.

Il mio nome è Antonio Mathis, sono ragioniere, ce-
libe. Vivo solo, in due stanze d'affitto, da cinque anni
lavoro in una media ditta d'esportazioni e importazioni.
Sono rispettato (conosco due lingue) e mi lasciano in
pace. Poiché so tenere la penna in mano i principali mi
affidano i compiti che ritengono piú delicati: la pubbli-
cità, i rapporti epistolari con i clienti di riguardo, la
collaborazione a una rivista tecnica che tratta del nostro
commercio.

Ho fatto tre anni di guerra, di cui uno in Croazia, e
durante la repubblica di Salò riuscii a starmene senza fa-
stidi in una cascina dell'Astigiano. Avrei dovuto sposarmi, due anni fa, ma si andò per le lunghe e ormai
Anna ed io abbiamo deciso di procedere con calma, cioè
dopo la morte di sua madre.

Che altro potrei dire di me? Proprio non so.

Ho deciso di prender nota di ciò che mi succede perché solo cosí potrò riuscire — forse — a controllare avvenimenti e sentimenti, a capire, ad aiutarmi. Non saprei
davvero a chi domandare un consiglio, infatti. E mi
sento solo, una pulce. In questi ultimi giorni mi è parso
di venir trascinato fuori del mondo.

Posso descrivere con la massima precisione cosa mi capiterà tra un'ora.

Sette di sera: è inverno, mi alzo, mi avvicino al davanzale della finestra, dò un'occhiata a Torino, distesa oltre il fiume, una fuga ripetuta di lumini in file che si incrociano, schiacciate ai margini della città da tre grosse insegne FIAT che fanno rosso e fumigante il cielo. Copro col panno la gabbia dei canarini, infilo il paltò, esco.

La strada è ghiacciata, deserta, la tromba suona nel cortile della caserma, eccomi al corso. Il fiato gelido del fiume manda frange di nebbia contro i rami degli alberi, i fanali sono aureolati da un fumo cangiante, le auto ammiccano da lontano. Ecco la pedana del tram, ecco lei.

Sta diritta, immobile, minuta, non aspetta il tram, aspetta me.

Aspetta che attraversi il corso, salga anch'io sulla piattaforma di cemento, mi installi a tre passi di distanza.

Aspettiamo il tram insieme, lei immobile fissa il marciapiedi opposto, io sprofondo le mani nelle tasche del paltò, sotto le dita sento le palme sudate (lo sono già, mentre scrivo), non riesco ad afferrare una parola, a scavare un'idea, un filo di coraggio. Dovrei fare qualcosa,

11

avvicinarmi, parlare. Ma cosa dire? Come? Come si può affrontare una suora e parlarle?

È sempre stato difficile anche con le altre donne, si deve fare un tuffo nello scherzo e parlare e parlare e aver fiducia piú nel proprio sorriso falso che nelle parole, piú nella posizione delle spalle, nello sguardo, nella cravatta a posto che nell'improvvisazione. Si deve esagerare spiritosamente o melodrammaticamente, finché la donna ride, o protesta, però non scappa.

Ma ho quarant'anni. E lei è una suora. Non sono alto, già vado ingrossando, e lei è piccola, sí e no vent'anni, è bianca e rosa, con due sopraccigli che s'uniscono in un'unica curva come un'ombra chiara sotto la benda stretta attorno alla fronte.

So che mi aspetta. Da settimane, forse mesi. Non ricordo piú com'è cominciato. Quando ho scoperto che mi guardava? Forse in principio non me ne rendevo conto. Poi l'ho avvertito, ma pareva cosí al di fuori d'ogni buonsenso.

Alla sera, con questo tram solito che mi porta in centro, sapevo di trovarla. Magari perdevo una corsa per aspettarla, o la perdeva lei. Da quando ho capito, non ci siamo veramente guardati in faccia una volta sola, mentre si aspetta sulla pedana. Salendo in vettura, un attimo, un'occhiata.

Lei va al fondo del tram e guarda fuori, sempre.

Una volta, lasciandola salire prima di me, vidi una sua scarpa, lucida, stretta.

Dove va a quest'ora, e sola? Probabilmente assiste un malato, o segue chissà quali turni in un ospedale. Non distoglie mai lo sguardo dal vetro che le sta di fronte. Il tram, prima di imboccare il ponte sul Po e penetrare nella grande piazza, traccia una curva, passa davanti alla chiesa della Gran Madre di Dio. Allora lei china rapida il mento sul petto.

Anche questo mi ha sorpreso: non ha quell'impaccio un po' sciocco un po' commovente che fa trasalire molti religiosi quando un occhio estraneo li sorprende. È ferma, sicura, come una qualunque ragazza un po' riservata, con un pensiero fisso che la distoglie appena dal mondo attorno. Sa che io la spio, ma questo non la disturba, non le fa compiere una mossa brusca di disagio. Può attraversare la vettura a occhi bassi e arrivare all'uscita senza un gesto scomposto. Si appoggia appena ai sostegni quando il tram curva, frena, riparte, e subito ritrae sotto lo scialle di lana nera la punta delle dita.

Quante volte mi sono scervellato in tentativi idioti per scoprire se era vero?

Oltre a perdere i tram — stavo fermo sulla pedana, il tram fermava, si spalancava la portiera, il manovratore era lí con occhi interrogativi, non passa che il « 21 » su questa linea, io restavo immobile, il tram sbatteva la portiera e ripartiva; lei là, a tre passi, ferma, avendo accettato la prova — l'ho seguita, ed è da quella sera che provo vergogna, è da quella sera che non riesco a venir fuori dalla confusione.

Aveva nevicato, le strade erano lame di ghiaccio, i fili della luce pendevano lampeggiando, io la seguivo in un quartiere che conosco appena (di solito scendo prima, per andare al caffè o incontro a Anna, e lei prosegue. Spesso, quando scendo, la invito a un'altra prova: aspetto che il tram riparta, mi volto a guardarlo e nel riquadro illuminato che si allontana scruto la sua figura. Non posso scoprire se mi fissa o no, ma da come si sposta nella vettura per affacciarsi al vetro di fondo, controluce, capisco che ha accettato l'invito).

Camminava una ventina di metri davanti a me, attenta al marciapiedi ghiacciato. Dovevo stare all'erta sennò mi sarei avvicinato troppo. Capivo che era lei a darmi la caccia, ma ancora ogni cosa pareva assurda, e dubitavo, ero piú curioso che preoccupato.

A un certo punto la strada si aprí, c'era un sagrato,

una chiesa, avevano ripulito gli scalini dalla neve con getti d'acqua e la pietra bagnata luccicava.

Entrasse in chiesa, pensai.

Si era fermata davanti ai gradini, guardava la chiesa, la strada diritta e deserta.

Entrasse, pensai. Su, entra, se entri è vero.

Avevo il batticuore.

Salí i gradini, svelta.

Quando trovai il coraggio di spingere la porta e affacciarmi in chiesa provai il primo brivido di vergogna, una fitta al basso ventre. Solo con uno sforzo riuscii ad entrare.

C'erano piccoli lumi dorati accesi sul fondo e file di banchi vuoti. Non la vedevo, mi spostai cautamente, sudato e gelido, dall'ombra di un pilastro fino a una catasta di sedie di paglia. Non c'era. Ancora mossi qua e là, allungando lo sguardo. Un soffio gelido mi inchiodò all'altezza dell'ultimo banco. Poi sentii il tonfo soffocato della porta che si richiudeva sui suoi bordi di velluto.

La scoprii di nuovo in strada, camminava rapida e subito sparí nel buio di un portone.

Fermo davanti al portone, col naso in aria a scrutare il numero di pietra che lo contrassegnava, capii allora che era stata lei a provarmi. Ricordai i miei ingenui, ridicoli trabocchetti, intuii che a questi lei s'era prestata solo per consolarmi, persuadermi.

Ora aveva voluto offrirmi un'occasione veramente favorevole. Forse le ero passato a un palmo entrando in chiesa, e non l'avevo vista subito. Lei certo aveva potuto seguire le mie mosse goffe, spaurite, prima di andarsene.

Questa verità mi afferrò al collo come un coniglio, scrollandomi, e ancora mi preme e mi spinge a frugare in caccia di un'idea, un punto fermo di coraggio necessari a decidermi.

Tocca a me, non posso aspettare.

Da quando l'ho capito mi vergogno a metter piede sulla pedana di cemento del tram, mi vergogno del silenzio — infinito, pesante, una montagna ghiacciata — che sta tra noi due, mi vergogno di scendere dalla vettura prima di lei. Mi sembra di scappare. Sento di tradirla, ogni sera.

E non trovo la forza necessaria per arrivare un'altra volta fino a quella chiesa. Ho paura di vedermi costretto ad affrontarla senza aver avuto il tempo di pescare chissà dove la parola adatta, la faccia giusta.

A volte credo di aver trovato la frase perfetta, la ripeto due o tre volte, la rimastico un poco ed ecco che si sbriciola, lasciandomi piú povero, piú confuso e impotente di prima.

Eppure tocca a me. Stasera o domani, o tra una settimana. Non ho piú molto tempo. Sennò lei capirà che
ho paura, non solo soggezione, indecisione, pudore.
Adesso si fida ancora, e aspetta e mi dà tempo, ma fino
a quando? Non avrà addirittura il coraggio di affron-
tarmi per prima? Non sarebbe piú facile per me, mi sco-
prirebbe impaurito, privo di risorse.

Mi sento senza nervi.

Penso che un altro, piú giovane, riuscirebbe a fare ciò
che vuole. Il mio collega Mo, in ufficio, ad esempio, rac-
conterebbe l'avventura per giorni e giorni, tra un diluvio
di allusioni oscene e risate.

Ma non solo questo. Penso al vero coraggio segreto
che avrebbe un giovane, un coraggio giovane, e mi sento
rimescolare dall'invidia.

Non sono mai stato quel che si dice un uomo: ecco
la verità. Macché guerra, macché capuffici, rispetto degli
altri, macché esperienza. Non ho mai capito, imparato,
osato, ho quarant'anni e non so decidere né cogliere le
cose con la forza che esse hanno. La vita è corsa via senza
lasciarmi niente di vero. Mi sono sempre nascosto.

E adesso scopro che mi vergogno di tutto, in questo
mondo dove nessuno pare piú vergognarsi di niente. Ma
non è pudore il mio, è vigliaccheria.

Eppure una di queste sere, alle sette, su quel gradino
di cemento in attesa del « 21 », dovrò affrontarla. Forse

anche lei, pur cosí calma, pur cercando di smuovermi,
ha paura. Forse al momento decisivo si ritrarrà per chissà
quale spavento.

Oppure tutto sarà facile.

Come ci arriverò?

Non posso dirle: sorella. È stupido. No, devo cominciare in modo chiaro, senza pretesti lontani, senza ghirigori. Devo aiutarla, mentre lo faccio.

Le sette. Devo uscire.

Ci fosse almeno gran nebbia lungo il viale: mi sen-
tirei piú protetto. Perché ho anche paura degli altri, di
occhi curiosi che mi sorprendano. Certamente anche lei
ha questa paura.

Il corso solitamente è deserto, con luci fioche che
oscillano al vento invernale, non c'è che un caffè, lontano, e il largo davanti alla chiesa della Gran Madre che
luccica di intrichi di rotaie. Ma quando sono su quella
pedana mi pare che milioni d'occhi spiino dalla siepe
lungo il fiume, dalle cupole secche degli alberi, mi pare
che tutto il mondo trattenga il fiato per sorprendermi e
balzarmi addosso.

Lei non ha un gesto, non muove di un centimetro.

E io dovrei — dovrò — fare tutto da solo, superare

quei tre metri di distanza, non fronteggiarla ma porgerle il fianco e parlare senza voltar il capo.

Mi vedo cosí, ma in una lontananza immensa, spaventosa, che taglia il respiro.

Mi rado, mi vesto, decido di mettere o no la camicia bianca, mi accosto al banco del bar e dico « caffè! », saluto la gente e sempre, sempre, dappertutto, non mi scrollo dal peso di non valere.

Oggi, di colpo, ho capito cosa lei mi ha già dato: questa consapevolezza, questa capacità di vedermi come sono realmente, come sono sempre stato. Mi ha costretto a scoprirmi, ed ora so chi sono, quella pulce, quel niente travestito da uomo ammodo, quarantenne, rispettabile, buon partito.

Ho già questo debito con lei.

E non so il suo nome, né a che ordine appartiene (mi basterebbe domandarlo alla portinaia, lo sa di certo: ed ecco la vergogna, la vigliaccheria, la coda di paglia: non oserò mai domandare una cosa simile alla mia portinaia).

Anche stasera il solito incontro. Poi sono sceso dal tram per l'abituale appuntamento con Anna e ho camminato verso il caffè sentendomi vuoto, irritato, impastato di noia e di rabbia.

20

Crederà in Dio? Se crede, come può pensare a me? Cosa può pensare di me? Si sente tentata o tentatrice? Che storia avrà mai da raccontarmi? Vorrà smonacarsi? E, soprattutto, ciò che succede le sta capitando per la prima volta?

Queste domande turbinano ma fortunatamente svaniscono subito. Se mi lasciassi andare a riflettere, addio, avrei assolutamente bisogno di confidarmi. E anche di questo ho paura.

Mi accorgo che sono infinite le cose non dette, sepolte in me. Anche gli altri covano segreti come me? Tento continuamente di immaginarla, ma è difficile. Avrà i capelli? Come veste sotto la tonaca? Sarà vero che non portano indumenti intimi, ma solo camicioni? La solita fitta al basso ventre, sgradevole. M'accorgo che non ho mai avuto, per lei, pensieri o desideri carnali. Mi stupisce: fino a poco tempo fa ho creduto — anzi, non avevo mai avuto bisogno di riflettere, tanto pareva naturale — che tra un uomo e una donna tutto nascesse da un desiderio, molte volte normale, serio, magari austero ma carnale sempre. Il resto dava un senso a questa cosa.

Ora, invece, mi sento fuori da qualsiasi desiderio. È questo, innamorarsi? Se è cosí, cosa significa? Cos'è? Scopro, con stupore, che non ho mai detto « ti amo ». Ecco, arrossisco. Il cervello macina nel vuoto. Perché non ho mai detto « ti amo »? Lo si sente dappertutto, si legge, e allora perché io no? La gente lo dirà davvero? Neanche Anna mi ha mai detto « ti amo ». Non gliel'ho mai domandato, e non mi è mai passata per la testa la voglia di sentirmelo dire.

In questo momento non oserei guardarmi allo specchio, vedere questa faccia già rugosa, paffuta e rugosa, stupida, senza niente che la distingue dalle altre.

È incredibile che tutto questo debba capitare proprio a me.

Stasera, sul tram, la guardavo: la lama diritta del velo le nasconde il profilo e dal colmo della testa ai piedi sembra racchiusa in una cappa lievissima ma impenetrabile.

È tardi, ho sonno. Adesso mi corico. Spenta la luce, mi impelagherò a pensare, minutamente, ostinatamente, come domani sera riuscirò ad affrontarla. Ci riesco sempre, pensandoci, e inutilmente annaspo alla ricerca di assurde contrarietà che dovrebbero scompigliarmi mentre tento di parlarle.

Riuscirò a trovare la forza, domani?

Nella cassetta delle lettere c'era una busta chiusa, senza indirizzo. Dentro: un'immagine di sant'Antonio. Sa il mio nome o è un caso? Sa dove abito, comunque. Perché non ha scritto? E ha infilato lei questa busta o ha incaricato qualcuno?

In ufficio ho guardato di continuo l'orologio, sicuro delle mie forze, cercando di far arrivare le sette al più presto. Sono corso a casa, mi sono lavato, fischiavo per darmi brio. Sentivo di potermi mantenere appena all'altezza dei propositi, ho preso un caffè, poi un liquore, ho tirato fuori un cappello quasi nuovo. Sono arrivato alla fermata ancora sicuro, deciso a parlarle. Camminando verso il corso avevo ricapitolato tutto, dalla chiesa all'immagine di sant'Antonio, dalle soste in attesa del tram alle rapide occhiate.

Ma il coraggio mi è mancato. Dicevo: adesso, adesso, e il coraggio non veniva.

Durante l'intero percorso ancora ero sicuro che sarei sceso con lei, che ci saremmo parlati in chiesa, ma all'ul-

timo momento l'ho lasciata andar via, il tram mi ha trascinato lontano.

Ho dovuto tornare in centro precipitosamente. Anna
mi aspettava da piú di un quarto d'ora. Era stupita, ma
non ha detto niente.

Tra Anna e me tutto è semplice, distratto, normale.
Ci vediamo da anni (cinque?, sei?) e andiamo al cinema,
al sabato anche a cena, non abbiamo bisogno di far
troppe parole. Purché non si sia di malumore, purché
uno abbia la camicia pulita e l'altra il suo cappellino,
purché si sia d'accordo sul film da vedere, e tutto va
puntualmente a posto. Parliamo di mobili, di lavoro, di
amici miei o suoi che reciprocamente non conosciamo
ma che hanno acquistato una fisionomia e un ruolo pre-
cisi nei nostri discorsi. Abbiamo le nostre abitudini, una
volta alla settimana salgo da lei, dopo il film, facendo
piano nel corridoio buio, ci spogliamo in silenzio nella
sua stanza, attenti a non svegliare la mamma di là, che
finge di non sapere. Oppure Anna viene da me il sabato
pomeriggio, tra una spesa e l'altra. Tutto è molto placido, spogliandosi e rivestendosi lei continua le sue chiac-
chiere, accende o spegne il gas sotto la caffettiera.

È maestra, se le dessi retta mi parlerebbe sempre dei
suoi scolari, ma sa che mi annoio e mi risparmia queste
confidenze. Anche gli antichi litigi (io l'avrei preferita
casalinga, senza tanta smania di lavorare) sono sepolti,

ormai. Abbiamo progetti, con due stipendi potremo vivere bene, compreremo l'automobile.

Stasera non s'è neppure accorta della mia svagataggine : come sempre, non mi porta troppa attenzione, se non per le cose molto visibili, i capelli da tagliare, il cappotto con un bottone in meno. Malumori, noia, stanchezze le sfuggono, non le avverte. E il suo bene per me è un bene che non patisce, non sussulta mai. Siamo sprofondati in un cinema di terza visione, stretto, pieno di fumo e calore umano, di odori di panni umidi, ognuno nella sua vecchia poltroncina di velluto.

Fui contento che non cercasse la mia mano, come talvolta le succede, ignorando che a me dà fastidio e subito sono costretto ad accendere una sigaretta per potermi liberare.

Il film fuggiva sulfureo e crepitante, pieno di minacce e di spari, e davanti a me, per tutta la sera, si sovrapponevano sfatte e trasparenti immagini di tram, di quell'angolo di città dove ogni giorno incontro « lei ».

A quest'ora, cosa fa? È seduta a fianco di un letto? In una stanza buia o illuminata? Veglia un malato o una malata? Prega? Se prega, penserà a me, e come? Non si addormenterà, a una cert'ora della notte, sulla poltrona dov'è seduta?

Forse deve fare determinate iniezioni a determinate ore. Se è cosí, e se il malato è un uomo, saprà cose che

altre suore non sanno. Dicono che le suore degli ospedali
sono cattive, inasprite dai troppi dolori visti. Anche lei
sarà cosí, anche lei avrà conosciuto tanto?

Mo acquista libri sconci da un venditore ambulante che fa il suo lurido mestiere girando in automobile. Staziona sempre all'angolo di una piazza, ospita il cliente in auto, lo porta in giro lentamente intorno a un giardino dandogli il tempo di scegliere in una valigetta zeppa di rivistine francesi e romanzi illustrati da disegni o schifose fotografie. Li affitta a caro prezzo e li lascia in lettura per quattro-cinque giorni. Mo li porta in ufficio, li fa passare, se la ride. Li mostra persino a Iris, un'impiegata non piú giovane, ritinta, che ride davanti alle fotografie sbarrando gli occhi, non protestando mai, non so se per mostrarsi moderna o perché si diverte davvero. Oggi Mo aveva una rivistina piena di disegni con suore in posizioni oscene.

Esistono davvero i « segni del destino »? Le suore di Mo, come un'infinità di altre persone, gesti, avvenimenti, scoperte, mi legano continuamente a « lei ». In tram o in strada, leggendo o parlando, mi sento colpito mille volte da avvertimenti che trovo sempre straordinari: ora è Anna che mi incita con foga inconsueta ad andare in chiesa, ora è l'incontro con gruppi di religiosi che sussurrano a un angolo dei portici, ora è la notizia sul giornale di una suora che misteriosamente è finita suicida. Saranno pure coincidenze, certo, ma mi accorgo che agiscono sui miei nervi, accentuano di continuo cosa vado covando in segreto, come nuovi segni di ruota approfondiscono la traccia lasciata da altri passaggi e ne fanno un solco sempre piú scavato.

Al tram, alle sette. Abbiamo perso una corsa restando fermi sulla pedana. Faceva freddo, ma non c'era nebbia, il Po mandava morsi ghiacciati alle spalle. Sono sceso alla mia solita fermata ma non ho aspettato che il tram ripartisse, non mi sono voltato a scoprirla controluce dietro il vetro terminale della vettura, pur sentendomi un peso doloroso alle spalle e una tentazione infinita di girarmi di scatto e incontrare i suoi occhi.

14 dicembre, giovedí

Forse sono vecchio. Un uomo a quarant'anni, se non ha figli, se è schiavo delle abitudini, è come preso in una ragnatela, ha il terrore, persino, di doverne uscire. Credevo che il sapersi rassegnare fosse una virtú, ritenevo mia questa virtú. Invece mi sento mangiato da non so quali insoddisfazioni, noie, informi proteste. Anna mi crede un abitudinario, e ha ragione: al bar, ad esempio, verso inavvertitamente un po' d'acqua nella tazzina ormai vuota del caffè. È un gesto meccanico, abituale a chi sta solo e non vuole trovarsi a risciacquare una tazza con resistenti incrostazioni di caffè sul fondo. Anna mi accusa di vecchiaia. A me, poverina, fa pena. Ha quasi trentasette anni, non è mai stata una bellezza. Alla sera, quando ci avviamo al cinema, i capelli per l'umidità le si separano in strisce stoppose. Anche questo mi commuove in lei, pur dandomi fastidio.

Ciò che mi stupisce è che non abbia mai desiderato figli, neppure a parole.

Anna non sa come sono cambiato in questi giorni. Mi crede stanco, nervoso. Non è vero. Mi accorgo di non riuscire a star fermo, di distrarmi, e mi accomodo dietro il paravento della stanchezza perché non ho certo voglia di dirle la verità. Anche questa distrazione, questo nervosismo sono l'amore, l'innamorarsi?

A volte mi scopro a pensare: come sarebbe un figlio mio e di... quella ragazza?

Non posso già piú dirmi « suora », mi obbligo a pensare « ragazza ». È bene o male, è un passo avanti o indietro? Forse è solo e ancora paura: cerco di fabbricarmi un alibi, di nascondermi la verità. Ma mi sorprendo anche in pieno abbandono: quando la immagino girare intorno, in casa, in silenzio. Solo dopo un poco m'accorgo di come è vestita, e lo spavento subito cancella ogni piacere.

Ho comperato *La monaca di Monza* di A. Manzoni, alla fiera natalizia del libro, una fila di baracchette di legno allineate lungo un corso centrale. Alla luce delle nude lampadine sospese sotto le tettoie delle baracche ho subito cominciato a leggere, sperando di scoprire chissà cosa. In serata sono arrivato a pagina novantotto e mi sono fermato al punto in cui *finalmente la sventura di Geltrude volle che l'occasione si presentasse...*

La tensione della lettura, che a ogni momento pareva

potermi dare aiuto, mi ha stancato tanto. Questa storia di Geltrude è molto lontana, non mi pare vera. È di oggi che ho bisogno, e qui nessuno, ma proprio nessuno può darmi una mano. Certe volte penso che dovrei confessare a un prete, in segreto, ciò che mi succede, le tentazioni come le paure e i sospetti, ma subito avverto come anche quest'atto richieda coraggio e immediatamente mi ritiro, rifiuto persino di rivestire con una qualsiasi parvenza di realtà questa vaghissima ipotesi. Anche qui scopro come, di fronte alle cose, non posseggo decisione, non provo stimoli veri, ma mi abbandono soltanto a un ignobile istinto di conservazione. Sono una lumaca che ritira la testa dentro il guscio prima ancora di aver sospettato il pericolo.

Alle sette, dopo lo squillo della tromba nel cortile della caserma, sono sceso al corso. Notte chiara e lucida d'inverno, con la collina diritta nel suo profilo di rasoio contro il cielo. La chiesa della Gran Madre era uno zoccolo di zafferano opaco contro il buio della notte alle spalle. Scendendo al corso speravo di non trovarla. Mi sentivo stanco, sfiatato. Arrivato all'angolo la vidi, come sempre, sul gradino, immobile, minuta, nera. Ricordo di aver pensato: sono stanco, ecco il tram che arriva, non faccio in tempo ad attraversare il viale, sali, via, almeno stasera lasciami in pace, non obbligarmi ad aspettare venti minuti fermo, con te a tre metri di distanza che aspetti. Almeno stasera.

Macché. Il tram si allontanò lasciando riapparire la sua sagoma stretta, nera. Attraversai il viale abbattuto, senza alzare gli occhi dall'asfalto, come in colpa. Avevo le spalle rotte dalla stanchezza.

Abbiamo aspettato la seconda vettura nell'abituale, crudele silenzio, oscuramente in agguato l'uno dell'altro.

In mattinata ho scoperto di essere in ritardo con diversi lavoretti che negli altri mesi parevano esaurirsi da soli. La confusione che mi possiede si riflette anche in questo. Ho dovuto darci dentro fino a sera, ho avuto anche uno scambio di parole vivaci con Mo, che è pigro, gira qua e là cercando pretesti per lavorare poco, ficca il suo naso venato di cinquantenne fedele al sorso di bianco secco in qualsiasi occasione che gli permetta un'ennesima sosta.

Verso le sei di sera, a uffici già vuoti, non ho potuto evitare Iris. Abbiamo sbattuto l'uno contro l'altro al fondo del corridoio, lei uscendo e io avviato al gabinetto. Ci siamo stretti assieme un momento, l'ho toccata qua e là, in silenzio, anche lei ha abbassato la mano per una carezza. Poi ci siamo staccati e salutati con un sorriso.

Succede da anni e non si è mai tentato, da parte mia o sua, di spingere piú in là. Io mi accontento di sentire i suoi seni grossi e teneri sotto il grembiule nero e la sottoveste, lei risponde sfiorandomi col palmo della mano e manovra appena con le dita a uncino. Quando il bacio

33

è finito ci lasciamo dandoci un saluto col « tu » (sempre ci trattiamo col « lei »). Questi incontri succedono almeno una volta alla settimana, e non sono mai provocati, anche se Iris, quando l'incrocio nelle ore di lavoro nel corridoio o quando restiamo soli un momento in ufficio, mi guarda e talvolta dice, per scherzo, un « vigliacco » che vale come saluto e come ironico commento al mio modo di comportarmi.

Cosa fa, oltre il lavoro, e come vive? Non so quasi nulla di lei, anche se lavoriamo insieme da quattro anni. Ha una figlia, credo sia separata dal marito, o vedova, potrà avere quaranta come quarantacinque anni. Mai mi ricordo di lei.

Stasera, però, mi sono staccato dall'abbraccio con vergogna e fastidio e subito l'immagine di « lei » mi ha sorpreso quasi sgradevolmente. Per la prima volta mi sono accorto di giudicare Iris con malanimo, mentre prima mi pareva una simpatica compagna, tutt'altro che una donna di cattivi costumi.

Alla sera, bevendo il mio solito tè casalingo — da qualche mese salto il pasto, avendo deciso di dimagrire: per questo, uscendo dall'ufficio alle sei, vado a casa, nelle ore in cui gli impiegati scapoli come me cercano una

trattoria — ho finito la *Monaca* di Manzoni. Mi ha inte-
ressato molto poco, anche se è piena di spirito. La mia
storia è troppo diversa.

In casa, in queste ore, cambio l'acqua ai canarini,
ascolto le revolverate, gli urli, lo scalpitar di zoccoli, gli
sbattimenti di seggiole che si succedono in un cinema
parrocchiale a pochi muri di distanza. Al solito squillo
di tromba, esco.

Sulla pedana c'era altra gente, caso non comune per
quest'ora e questo posto. Lei era al centro del largo gradino e allora ne ho approfittato per piazzarmi al limite
estremo, dove si apre la porta del tram.

Per non farmi cogliere di sorpresa e per spiegarle la
mia — falsa — fretta, ho frugato in tasca, ho finto di contare monetine, ho inventato movimenti di nervosismo
spiando verso il fondo del viale, guardando piú volte
l'orologio.

Finché l'occhio giallo del tram apparve a bucare la
nebbia.

Anche lei si avvicinò al limite della pedana, avendo
capito, e salí subito, senza indecisione, prima di me.

Durante il pomeriggio, da un caffè dove mi aveva costretto l'incapacità di resistere nel silenzio morto della casa (anche i canarini non mi distraggono piú), ho visto due suore fermarsi davanti a una vetrina. Dai lunghi scialli di lana nera uscivano le vesti di tela grigiastra, le teste erano raccolte entro cuffie bizzarre.

Stavano ferme, chine, d'uguale statura, davanti alle luci di un negozio di giocattoli. Una bambola grande, splendente, con un'immensa aureola di capelli biondi, con vivissime labbra, era sospesa a metà dietro il vetro, come adagiata su una nuvola di bambagia, e fili di lucido argento partivano dalla bambagia perdendosi verso l'alto. Dalla vetrina pioveva sul marciapiedi, fin dentro la stradetta nera di pioggia, una pozza calda di luce, la stessa che pareva avvolgere la bambola in un lieto alone di benessere.

Le due suore si staccarono infine, e mi sentii spinto a seguirle. Veniva giú una nebbiolina acuta, le pietre della strada e le grandi lastre dei marciapiedi erano scivolose, dalle aperture degli antichi negozietti piovevano incerti chiarori. Era quella una stradina del vecchio centro della città, due automobili fronteggiandosi la intasavano, lo scampanellío dei tram si annunciava feroce a distanza. C'era un cinematografo che espandeva i cartelli colorati del suo doppio programma per un largo tratto di muro, c'erano orologiai dalle fittissime vetrine, cupi negozi di ferramenta o di ciabattini con stivali, stivaletti, scarpe ortopediche allineati lungo bui scaffali. Il cielo, al sommo delle case illividite, era una striscia compatta di catrame.

Le due suore camminavano senza fretta nel traffico convulso dello strettissimo marciapiedi, occhieggiavano appena le vetrine per fermarsi, talora, davanti a una panetteria con forme buffe di pane ammonticchiato e fasci di grissini lunghissimi, o a una confusa esposizione di collanine, perline, fermagli, gettati alla buona su un piano male illuminato.

Poi entrarono in un negozio, dalle luci spente, la cui vetrina era tagliata fino al culmine da una Madonna di gesso, bianca e celeste. Anche appoggiandomi al vetro non potevo scoprire alcunché dell'interno, talmente il buio era fitto. Infine fu accesa una candela, un'altra, e subito un soffio le spense, ma avevo fatto in tempo a vedere, nella fiamma ondulante, uno scorcio dei legni che foderavano la bottega, il luccichío di angioli dorati, e soprattutto le due lunghe candele fiorite che le suore avevano evidentemente voluto esperimentare anche come

37

grado di fiamma. Uscirono, ma senza involti, e frettolosamente s'avviarono per la stessa strada di prima. Andai dietro con minore curiosità, affaticato da pensieri che rendevano via via piú stridente, assurdo, incolmabile il contrasto tra il loro e il mio andare.

Non desideravo piú scoprire il loro itinerario, eppure, senza mèta com'ero, occhieggiarle di tanto in tanto mi serviva di guida.

Dalla stradina affollata erano passate ai portici di via Roma, che risalirono con passo spaventato tra colonne di gente frettolosa. Strette l'una contro l'altra si facevano largo riapparendo a distanza oltre gruppi di giovani fermi al riparo della pioggia, tra ombrelli che entrando o uscendo dalle arcate venivano aperti o chiusi. Imboccarono infine il sottopassaggio di Porta Nuova, e ancora, oziosamente, le seguii. Nella breve galleria bianchissima di luce un ambulante accucciato sul pavimento viscido dava aria a uccellini di gomma, gialli e rossi e blu, e gli uccellini, gonfiandosi, mandavano strilli acuti. La gente fluiva di corsa tra la doppia fila di vetrinette illuminate, e gli strilli degli uccelli coprivano il rumore dei passi, delle voci.

— Vieni, — disse imperiosa una delle due suore all'altra che aveva rallentato il passo. E la giovane ubbidí, nuovamente raggomitolandosi al fianco della compagna. Le lasciai sparire al fondo della galleria, dove si apriva l'altra scala, inseguite dagli strilli che continuavano senza posa.

In tram, stasera, contrariamente al solito, si è seduta su uno dei primi seggiolini. Allora mi sono portato al fondo della vettura. Le maniglie dondolavano e fuori era un correre di pareti umide e sporche, con improvvise folgorazioni fosforescenti.

Si voltasse, pensavo (se non si volta, infatti, e non mostra il viso, riesco raramente a vederla, chiuso com'è il suo profilo dal velo). Stavo in agguato sperando si voltasse.

E si voltò. Girò appena il capo, alzando lo sguardo, senza fretta, pallidissima, all'orologio sospeso a metà della vettura. Non posò gli occhi su me, pur accorgendosi certo di come la stavo guatando. Una goccia d'acqua, poi un'altra, le corsero per il velo, dalla sommità del cranio giú fino alle spalle. Poi una sua mano si rovesciò, uscendo trasparente dallo scialle di lana nera, e accomodò il velo attorno alla nuca, leggera, con la punta delle dita che si rincorrevano teneramente in un formicolío che si spense col pollice.

Coraggio da leone, coraggio da donna, pensai, spaurito fino al midollo. Ma mi sentii improvvisamente ricco, anche, e ancora adesso una strana allegria mi corre in corpo, mordendomi con rapidi sussulti che non riesco a frenare.

Che può fare di piú, che può dirmi di piú, povera ragazza?

Domani le parlerò, le parlerò, lo giuro.

Anna è venuta nel pomeriggio, ci siamo coricati, abbiamo preso il caffè. Poi l'ho riaccompagnata a casa,
contento di non dover passare la sera con lei (ha la madre malata). Ci siamo lasciati sotto il portone, lei ha
spinto avanti le labbra per un bacio e le ho dovuto pro-
mettere che non sarei andato a vedere, da solo, un certo
film che dobbiamo riservarci per domani o dopodomani.
Mi fa pena, mi sento cosí povero con lei.

Alle sette non sono tornato a casa, cioè alla solita fermata. Non so se per pigrizia o viltà.

Ma al caffè, quando vidi le lancette dell'orologio, oltre
la parete di bottiglie, ferme su « 7 » e su « 12 », provai
una rabbia, un pentimento, una disperazione che quasi
mi spinsero a cercare un tassí per correre alla Gran Madre. Sarei comunque arrivato in ritardo e rinunciai.

Cosí, film da solo, poi il ritorno a piedi, per queste
strade che portano al Po, sparse di globi bianchi che se-
gnano piccole osterie traversate da tubi di stufa, strette
tra grandi muri luridi di nebbia, sprangati da truci in-

ferriate rugginose: mi sono sentito privo di tutto, il ricordo di Anna era insopportabile.

Non avendo sonno ho passeggiato, prima di rientrare, per le stradine che portano in collina e solcano in lieve pendenza la fascia del quartiere d'Oltrepò. Sono arrivato, indifferente piú che insensibile ai fiati gelidi che mi bucavano la nuca, al muro del convento, poco lontano dalla caserma.

Lei abita lí. Il muro, di primavera, lascia apparire fili verdi alla cima, ciuffi di erbe tenere e foglioline trasparenti che rompono la fila dei coppi rotti e cementati l'uno accanto all'altro insieme a cocci di vetro e strappi di filo spinato. Dietro il muro è certo un orto, un giardino.

Ho cercato un appiglio per tirarmi su e guardare, ma senza fortuna.

Non ha mai costituito un punto di riferimento per me, questo muro, come lo è invece la caserma con la sua tromba alle sette di sera o l'orrida chiesa moderna poco distante, con le sue campane mattutine. Ricordo vagamente solo quel verde, rapido in primavera, acquattato e giallognolo d'estate.

Devono essere in poche, nel convento. Mi accorgo di pensare alle cose piú sciocche: come mangiano, come dormono, a che ora si alzano? Avranno una cella personale o almeno un letto con le cortine? Si alzeranno di notte a pregare?

Certo lei deve fare una vita diversa da quella delle compagne, se sta fuori tutta la notte. Non seguirà gli stessi orari: avrà regole particolari? Pregherà da sola? Oppure sono tutte suore infermiere?

E poi: avrà mai confessato al prete cosa pensa di me? Forse non prega affatto, non crede affatto, e sta al suo banco in chiesa con le mani giunte pensando a me, ingannando tutti. Oppure, inginocchiata, mi tiene fuori dalle sue preghiere per riprendermi subito dopo.

Questo mi disturba. Se non crede in Dio — e non importa che io non creda, o meglio che non ci pensi mai — o se gli crede ma può trattarlo a questo modo, come fa a sopportare la sua condizione? E che fiducia potrò avere in lei?

Comincia la settimana di Natale, pini fiammeggianti si alzano agli angoli neri delle piazze, le vetrine fremono di luci, tutta la città ronza come un vino.

Non mi sento piú terrorizzato come quindici, otto giorni fa: anche alla vergogna ci si abitua?

Soprattutto noto una spinta diversa: a riflettere, a ragionare. È uno sbaglio: non posso riflettere, finirei per ridurre in briciole gli impulsi di fiducia che provo, la speranza che mi ha tenuto in piedi fino ad oggi. Piú ragiono, piú mi dispero e distruggo ogni bellezza.

Ma non sono un ragazzo, non posso continuare cosí, devo vedere, capire, sono scappato abbastanza in tutta la vita.

Dalla mia scrivania, in ufficio, tre, cinque volte ho alzato gli occhi su Iris. Provavo una voglia tremenda di raccontarle tutto, di chiederle aiuto. È una donna, non prenderebbe la cosa in ridere come Mo.

Iris s'è accorta di queste occhiate insolite, ha sorriso, poi, sorpresa, è rimasta con le dita ferme sulla tastiera della macchina. Dopo un minuto è uscita, certo per of-

frirmi la possibilità di seguirla nel corridoio o in magaz-
zino. Allora mi sono accorto di aver sbagliato solenne-
mente: non vorrei che adesso si facesse illusioni e da
quei baci e carezze soliti tentasse attirarmi in altri rapporti.

La cosa, sotto sotto, mi diverte. Specie se penso a Mo,
che ha chiaramente un debole per Iris (arriverà anche
quest'anno con un regalino per lei nella carta natalizia).
Creperebbe di rabbia se sapesse dei nostri abbracciamenti.

« Lei », Anna, Iris: una ragazza, una fidanzata, una
quasi amante da corridoio. Mi sento ridicolo. In verità
non ho nessuno e non sono capace di avere e tenere nessuno. Ma che ho fatto in questi anni? Ma come è andato
il mondo? Cosa ho letto sui giornali? Cosa è successo di
vero, d'importante?

Non ricordo un amore da ragazzo, se non stupidag-
gini o porcherie. Ho dimenticato persino i nomi di qualche lontana amicizia. Ma quanti saranno come me?

Non ho mai fatto politica, non sono sportivo, non
sono buono a spingermi, nelle vacanze, dove altri vanno,
magari faticosamente, pur di vedere, toccare con mano,
curiosare.

Non so niente. I giorni mi sono scappati via come le
notizie dei giornali, a cui credi e non credi. Perché, ad
esempio, ho votato il partito liberale, due anni fa? Perché non ho comperato un paltò nuovo che mi piaceva,

45

all'inizio dell'inverno? Avrei potuto farlo, come avrei potuto votare diversamente: tutto mi è successo pigramente, senza interesse, senza volontà.

Alle sette sono arrivato per primo. Ho dovuto perdere due corse per aspettarla. Avrà voluto vendicarsi della mia assenza di ieri? Sul tram non si è voltata, benché lo desiderassi con tutte le mie forze, talmente forte da patire e credere mille volte che improvvisamente, in un gran lampo di fortuna, ecco, avrei avuto davvero il suo viso rivolto chiaramente a me.

Non è successo per calcolo, è stato come uno scatto dei nervi, dei muscoli. La testa era fredda e vuota, solo dopo s'infiammò.

— Si può dare la buonasera a una suora?

Cosí dissi.

Si voltò pallida, con gli occhi grandi, subito riprese a fissare il marciapiedi opposto.

— Non è peccato, — rispose.

Poi, calma: — Però non dir piú niente. Sono novizia. Tutte le novizie sono sorvegliate da laici che non conosciamo.

Rimasi inchiodato, a un passo da lei. Guardavamo il viale scorrere davanti. Il batticuore decrebbe a gradi e fluttuazioni lentissime. Due ciclisti passarono urlando e ridendo, bestemmiando contro il freddo. Tutto, ormai, era indifferente.

Lo scampanellare del tram si fece largo tra la nebbia.

— Non questo.

Appena ero riuscito a percepire la voce.

Il tram arrivò, sbatté le portiere, ebbe un sussulto e filò via stridendo lamentoso sulle rotaie umide.

— Il prossimo? — tentai.

Annuí brevemente.

Respiravo a bocca aperta, il fiato si raggrumava in nuvole di vapore. Alzando gli occhi potevo vedere un grappolo di luci intense al sommo della collina, il punto rosso e crudo della torre radio. Alle spalle il fiume mandava densi sospiri.

Frenesia e stanchezza mi legavano i muscoli, avrei dato un anno di vita per muovere un passo, sciogliere i tendini delle gambe. Ma non osavo, dovevo star fermo accanto a lei, in segreto, spiandola furtivamente con la coda dell'occhio. Avrei voluto allontanarmi sulla pedana, poi tornare indietro e cosí osservare pienamente la sua figura, ma non era possibile, lei mi voleva lí.

Arrivò una vettura quasi vuota, il manovratore la spingeva come un ossesso, sfruttando al massimo i rettilinei e rallentando appena in curva, scampanellando di furia. Lei aveva raggiunto il suo angolo abituale e guardava fuori, la nebbia che vagolava sfilacciata ruotando in dolci turbini attorno ai fanali, alle insegne.

Sbattuto dal tram, avevo la testa pesante, immagini e pensieri e paure e gioie l'attraversavano perdendosi altrove, sfuggendo a ogni appiglio.

Scendemmo da due uscite diverse, la vidi entrare in

chiesa decisamente, spinsi a mia volta la porta con precauzione.

— Buonasera, — sussurrai accecato dal buio.

Non si mosse, pallida guardava da una fossa d'ombra
tra la porta e il muro di fondo. Non c'era alterazione tra
il pallore delle guance e il bianco fantasma della tela che
le stringeva la fronte.

— Come ti chiami?

— Antonio. Antonio Mathis. Sono...

— Antonio. Che fortuna. Come il santo. Hai l'immagine che ti ho dato?

La voce era lieta, tranquilla. Parlando muoveva appena le labbra sottili.

— Sí, — dissi, sentendomi goffo, arrossito.

— Mi aspettano, — fece allora: — Sono infermiera.
Vado al numero « 5 » di questa strada, quarto piano, c'è
una porta sola. Aspettami sul pianerottolo, io uscirò piú
tardi. Vuoi?

Mi guardava. Respiravo faticosamente, le spalle cova-
vano un dolore erratico, subito piú acuto se cercavo di
raddrizzarmi con energia.

— Vieni, vero?

Aveva cambiato voce.

— Il portone, — disse: — Non preoccuparti. Adesso è
aperto, quando scenderai lo potrai aprire facilmente, non
c'è che da tirare un chiavistello.

Accennai di sí, annaspando in cerca di parole.

— Vuoi, vero?

— Sí, — dissi: — sí.

Subito sgusciò via. Aspettai cinque minuti d'orologio prima di uscire. Improvvisamente l'odore molle della cera mi prese alla gola. La chiesa era gelida e il freddo mi penetrava nelle ossa, non riuscendo però a rinfrescare minimamente la fronte infuocata.

Scesi in strada e mi avviai al portone. Era un pozzo oscuro, con grandi colonne tortili di marmo nero che sparivano in alto, la scala andava su con larghi e bui gradini di pietra. Targhe d'ottone mandavano tenui barbagli a ogni piano.

Mi sentivo pesante, senza la carica muscolare necessaria a superare gli ultimi scalini. Eppure mi ritrovai improvvisamente davanti alla targhetta dell'avvocato F. Conti, quarto piano, unica porta, ispido tappeto al fondo del legno scuro. Non c'era altra rampa di scale. Guardando giú, oltre il passamano di ferro della ringhiera precipitante con mille ghirigori, vidi la pozzanghera di luce terminale, opaca e stretta. Rumori di radio, voci soffocate trasudavano dai muri, una porta si aprí al piano di sotto, e, schiacciato contro la parete in preda a un batticuore invincibile, sentii sbattere il portello metallico d'uno scarico d'immondezza.

Ripresi fiato, guardando in giro mi forzai alla calma.

Sopra avevo un soffitto calcinato, e il pianerottolo, dopo la porta, terminava con una vetrata dai colori cupi, verdi e viola.

Accesi una sigaretta cercando di non pensare, di lasciare il cervello libero di scagliarsi in mille direzioni diverse e ritornare indietro sfiancato e piú inutile di prima.

Alla fine della sigaretta spensi la cicca sotto la suola, poi la raccolsi per nasconderla nella scatola dei fiammiferi.

Mi appoggiai rassegnato al muro per dar riposo alla schiena. M'accorsi di pensare sordamente: non hai piú vent'anni, taglia la corda.

Scattò la serratura, era lei. Sorridendo faceva cenni perché m'avvicinassi. Mi tolsi il cappello, poi lo rimisi in testa, imbarazzato.

— Sta' tranquillo, — disse arrossendo.

Stava tra i due battenti socchiusi mostrando appena il volto. Le dita di una mano tenevano il legno della porta, appoggiandovisi, strettamente unite l'una all'altra.

— C'è solo una vecchia serva. Dorme.

Mi guardava, e io tiravo su gli occhi per subito perderli nuovamente attorno.

— L'avvocato è in agonia da molto tempo, ha piú di novant'anni, — tentò ancora, e la sua voce si spegneva. — Vengo qui da mesi, tutte le sere. Di giorno c'è un'altra infermiera...

Di nuovo riuscii ad alzare gli occhi e a guardarla, una rapida colorazione appena percettibile le illuminò le guance per disfarsi all'improvviso. Abbassai lo sguardo ma sentivo i suoi occhi fermi contro la mia fronte.

— Sta' tranquillo, — disse. — Non ti vedrà nessuno.

Aveva avuto come una rottura di voce, e nel silenzio sentii il suo respiro, leggero ma vibrante.

Non riuscivo piú a guardarla, fissavo la cupola del cappello nuovamente in mano. Appena staccavo gli occhi dal cappello era la striscia nera della sua sottana che mi trovavo davanti, tra i due battenti della porta. È finita, pensai, sono un idiota.

— Dobbiamo parlare, — cominciò lei, e la voce tremava appena. — Dobbiamo parlare, devi parlare. Non stiamo cosí.

Accennai di sí, ma sapevo che era inutile.

— Parla, — disse. La voce era tesa, mi faceva male sentirla agli orecchi.

Ancora riuscii a guardarla, non distolse gli occhi, arrossendo leggermente distese le sue labbra sottili.

— Ma tu, — dissi finalmente: — da quando...

Non riuscii a andare piú in là. Lei sorrideva a occhi chiusi come liberata, in pace.

— Quattro mesi. Tu meno, vero? Tu non ti accorgevi, prima, lo so.

Sentii un'altra trafittura dolorosa alla schiena.

— Parla, — sussurrò, come allegra.

— Sí — dissi: — Sí. Quanti anni hai?

Pallida e rosea, i sopraccigli tremavano come un'ombra, ma quegli occhi resistevano a guardare, a capire.

— Quasi venti, e tu?

Mi scappò una smorfia.

— Quarantacinque? — invitò.

— No! Quaranta! Ne compio quarantuno a febbraio.

— Vanno bene per un uomo.

Non trovavo parole.

— Quaranta, — mi sentii ripetere.

Lei accennava tranquilla di sí.

— Non sei timido, vero? — domandò. Di nuovo era arrossita.

Scossi la testa, guardavo per terra.

— Non è peccato, vero?

— No, — riuscii a spiccicare.

— Non è peccato. Non è male, — disse allora, calma.

— No, no.

— Pensi male di me?

— Oh, no.

Avrei voluto buttarmi a parlare, a domandare, ma la bocca era arida, frasi e parole s'urtavano nella testa come pezzi di materia sonora che non riusciva a amalgamarsi. Subito sparivano in un frastuono lasciando posto a un vuoto mobile, pantanoso. Le spalle mi si piegavano come per una fitta dolorosa, e un'altra fitta mi coglieva, morbida e insistita, al basso ventre.

— Non sei timido? — ripeté.

Cercai di sorriderle.

— Non vuoi sapere come mi chiamo? Serena. Mi chiamo Serena. Non sono ancora suora. Si sente che sono piemontese?

Scossi la testa.

— Di te si sente. Sei un torinese. Come mi piace!

Una mano m'uscí dalla tasca e prima di appoggiarsi alla porta fregò contro il panno del cappotto per rinfrescarsi. Avevo paura di farlo, ma non riuscivo a esprimermi e la mano, dal legno della porta, scese fino alle sue dita, gelide.

Le ritirò piano.

— Patisco, — disse, impallidita.

Fui io ad abbassare lo sguardo.

— Sei comunista? — riprese poi la sua voce, placida.

— No, — risi, rincuorato.

— Perché? Credevo che gli uomini fossero tutti comunisti, — sorrise stupita.

— Chi te l'ha detto?

Scosse le spalle.

— Credevo, — disse: — Lo sai che due anni fa, alle elezioni, ci avevano detto di star pronte a scappare? Avevamo anche degli indirizzi per nasconderci. Persino i vestiti ci avevano dato.

Ancora scosse le spalle, senza spegnere il suo sorriso affilato.

— Ma perché sei suora?

Ero riuscito a dirlo.

Mi guardò, poi chiuse gli occhi, riaprendoli ebbe una risatina dolce.

— Non so, — disse piano: — Prima l'oratorio, poi a cucire. Al pomeriggio mi portavano alla cappella del convento dove cucivo, mi facevano inginocchiare per ore, sola, perché mi venisse la vocazione. Avevo sei anni. Qualche volta dormivo. I miei sono contadini, ho quattro fratelli, uno è prete da quindici anni, è stato lui a farmi mettere in collegio, poi dal collegio sono passata al convento.

— Di che paese sei?

— Mondoví. Conosci?

— Sí, — dissi. Ma non lo conoscevo.

— Ho sempre cercato di fare qualcosa, — riprese: — Prima il corso d'infermiera, poi l'assistenza. Sono a Torino solo da un anno, sai? A primavera dovrei prendere i voti.

— Ti piace?

Sorrise, mi guardò dal cappello alle scarpe.

— Non mi piace stare con le altre. Non mi piace. Ca-

55

pisci: sono l'unica che non ha amicizie. Le altre stanno sempre insieme, hanno paura di uscire, degli ospedali.

Chinò la testa, l'ombra dei sopraccigli s'era appena increspata.

— Tu: sposeresti?

L'aveva domandato tranquillamente. Non osai alzare gli occhi, ma subito ebbi uno sforzo violento.

— Ma tu credi in Dio?

— In Gesú sulla croce, — rispose.

Rimasi zitto.

— Non è peccato, — disse allora, in fretta: — Non ti senti in peccato, vero?

— No.

— Neanch'io. Sposeresti?

La fitta al basso ventre si ripercosse a ondate fino allo stomaco, ai gomiti, arrivò alla gola e precipitò ondulando a piegarmi le ginocchia.

— Ho quarant'anni. Potrei essere tuo padre.

Rideva piano.

— Poverino. Mio padre. Non prendermi in giro. Sei sano?

Ora toccava a me ridere.

— Certo.

— E non sei vecchio, neanche grasso. I giovani mi spaventano. Tu non mi spaventi. Sposeresti, vero? Vuoi bene?

Accennai di sí.

— Pensavi a me, in questi giorni?

Ancora accennai di sí.

— Sei buono. Aspettavi i tram. Non ti dò noia?

— Non...

— Sei stanco. Aspetta.

Lasciò vuoto lo spiraglio e sentii, appena percettibile, il fruscio delle sue sottane che si allontanavano. Riapparve, aprí la porta, spinse avanti una sedia.

— Ma no, — dissi.

— Sí, sí, anch'io. Vedi?

Riaccostò il battente e restammo seduti, io con la sedia sul tappeto e lei nel buio oltre la porta. Il vuoto alle spalle mi dava fastidio, spostai la sedia di fianco per poter dominare il pianerottolo, la prospettiva della ringhiera.

— Parla, ti prego tanto, parla, — mi diceva.

— Sí, sí, — rispondevo, cercando le parole.

Tiravo su la faccia dalla sigaretta per guardarla e lei sorrideva, chiudeva gli occhi, continuava a sorridere al vuoto.

— Che cosa buffa è la cravatta degli uomini, — disse.

— Scusa. Non so parlare, sono confuso. Capisci? Ma passerà, dammi solo tempo.

— Certo, — rispose seria: — certo. Ma non hai fidanzata, vero?

Negai col capo.

— Non so come tu non possa avere fidanzata, ma sono contenta. Dimmi una cosa: come fanno le donne a camminare con i tacchi alti? Le invidio tanto, io non so niente. Non ridere.

— Non rido, — dissi, confuso. Mi sentivo precipitare lentissimamente, dolcemente, anche il fumo della sigaretta mi aiutava a sprofondare tra pareti di silenzio senza frattura, in una vertigine che era pigrizia dei muscoli, del cervello.

— Tu le guardi le vetrine? Io non posso mai. Io comprerei tutto.

— Sí?

— Tutto. Ho sempre voglia di comperare tutto. Ma tu vivi solo: come mangi? Al ristorante? Che bello deve essere.

— Non è bello. Certe volte mi preparo da mangiare da solo.

— Poverino. Antonio, Antonino.

Si scostò per frugare da qualche parte. Mi porse una cartolina.

— È di mia sorella, è stata al mare. Io non l'ho mai visto. Spotorno, conosci?

— È un paesino della Liguria.

— Voglio andare al mare, voglio proprio. Dimmi:

hai fame? Posso andare in cucina a cercare qualcosa.
Hanno un frigorifero cosí grande...

— No, no.

— Davvero. Mi farebbe cosí piacere. Che ore sono?

Guardai l'orologio.

— Le dieci e un quarto.

— Cosí presto? Che bellezza. Stai con me fino a do-
mattina?

— Eh?

— Io vado via alle sei. Tu puoi andare via prima che
aprano il portone, alle cinque. Dimmi che hai voglia
di restare con me. O hai sonno? Devi dormire sennò
non lavori bene?

— No, no, certo che resto.

— Che lavoro fai?

Ero stordito.

— Ragioniere, lavoro in una ditta. Scrivo lettere in
francese e in inglese.

— Oh, — sospirò, delusa.

— Perché, cosa credevi che fossi?

Sorrise abbassando gli occhi.

— Un operaio. Ero sicura che fossi un operaio.

— Ti dispiace che non lo sia?

Scosse le spalle.

— Ti dispiace, — ripetei, stupito.

— No, — sorrise: — ma mi ero fatta delle idee. Pen-

59

savo che fossi un operaio, che alla sera tornassi a casa a lavarti, alle sette uscissi, ecco. Un operaio.

— Sono un impiegato. Perché preferisci un operaio?

— Non so. Penso che ci si possa fidare di un operaio.

— E di me no?

— Non l'ho detto. Solo pensavo che tu lo fossi. Invece sei istruito, saprai tante cose. E io sono cosí ignorante. Non puoi voler bene. Mi vergogno tanto.

— Non dire sciocchezze. Ti voglio bene.

— Antonino, dillo ancora. Dillo.

— Ti voglio bene, — ripetei a fatica.

Parlava e quell'« Antonino » le usciva dalle labbra mentre il suo sguardo si perdeva oltre le mie spalle.

— Vado a vedere se l'avvocato dorme.

— Ma non è in agonia?

— Non ha i sensi. Ma dorme e lo nutro a iniezioni. Aspetta.

Lasciò vuoto lo spiraglio. Ne approfittai per alzarmi e muovermi sul pianerottolo. I rumori della casa erano sprofondati in un silenzio immenso. Mi avvicinai alla vetrata e tentai uno dei portelli verdi e viola. S'aprí incorniciando uno squarcio lunghissimo della notte. Un filo di luce guizzò, corse a formare i contorni di una grande tazza e dall'interno della tazza prese a uscire, a scatti, una nervosa voluta di fumo ritorto. Cinque stelle minuscole, verdi, blu, bianche, s'accesero intorno. Poi grandi strisce di luce sottolinearono a ripetizione la tazza fremente contro il cielo bituminoso. Ancora le stelline ebbero un palpito mentre le lettere, con una *A* altissima in centro, sfolgorarono vittoriose. Subito l'insegna si spense, lasciando riapparire i profili cupi dei palazzi, le bande corrose dei cornicioni.

Dalla strada salivano rumori di ferraglia, soffocati o improvvisamente nitidi.

— Antonino.

Ritornammo a sedere. Mi porse due fette di pane.

— C'era solo un po' di formaggio.

— Ma perché...

— Mi fa cosí piacere, mangia, mangia.

Reggevo le fette di pane.

— Allora mangio.

— Sí, sí.

Il pane non era tenero ma provai piacere come se avessi avuto vera fame.

— Che gioia, — disse: — Se ti vedo mangiare penso: questo nessuno piú te lo toglie, Antonino. Quante volte l'ho pensato.

Rimasi fermo col mio stupido pane a mezz'aria.

— Serena...

— Dillo ancora.

Arrossii ma dissi: — Serena.

— Non essere timido.

— Non lo sono.

— Lo sei, ma non dovresti esserlo piú. Anche io ho tanta paura, ma non m'importa.

— Hai paura?

— Sí. Di tutto. Ma adesso ci sei tu. È diverso. Per te non è diverso? Mangia tranquillo.

— Sí, — dissi.

— Mio fratello prete, — riprese: — mi scrive sempre lunghe lettere. È lui che ci tiene piú di tutti a vedermi suora. Sta al Vaticano, sai? Io non gli rispondo mai, anche se gli voglio bene. Lo ricordo appena, è tanto piú vecchio di me. Prima di pronunciare i voti potrò andare a casa qualche giorno. Non ne ho gran voglia, ma andrò. È cosí triste Mondoví: certe volte c'è nebbia anche d'estate. E poi non mi piace la campagna, i contadini. Non riesco piú a parlare a mia madre, capisci? È brutto, Antonino? A volte penso di essere cattiva e che il Signore non mi perdonerà mai.

— Perché?

— Perché non voglio bene ai miei, perché non riesco piú a stare con le persone ignoranti. Non riesco, ecco tutto: mi fanno pena, mi vergogno, prego sempre per mia madre, ma appena li vedo, lei e mio padre, subito ho voglia di scappare. Sei mesi fa mia madre è venuta a trovarmi, ho avuto il permesso per mezza giornata e lei ha voluto a tutt'i costi mangiare a mezzogiorno ai giardini.

Avevo desiderato tanto sedere in un ristorante. Pativo e mi vergognavo con lei. È brutto questo, vero?

— Non è brutto.

— Davvero? Tu come sei con tuo padre e tua madre? Mi strinsi nelle spalle.

— Non li ho piú. Solo una sorella sposata ad Alessandria. Sono anni che non la vedo.

— Perché succede cosí? Perché le famiglie non stanno insieme? Se avrò mai una famiglia non lascerò scappare lontano nessuno. Non si sta bene soli. Anche tu pensi cosí, vero? Non stai bene solo: dimmi.

— No, non sto bene.

— Io non ce l'ho coi miei. Mio padre ha sempre creduto che fosse una gran cosa avere un prete in casa. Lui non va quasi mai in chiesa e lavora come un mulo, bestemmia, ma è felice di avere un prete in casa e crede che se divento suora sarò sistemata. Antonino, aiutami, sto cosí in pensiero. Non voglio esser suora. Se lo sarò andrò negli ospedali, non voglio esser fuori del mondo. Ma è brutto, è brutto non essere nessuno.

— Sí, sí.

Mi sentivo disperato, legato, e non trovavo la forza di mettere in ordine mille cose da dire, caoticamente in giostra nel cervello.

E ritornava il silenzio. Ci guardavamo, ogni tanto distoglievo i miei dai suoi occhi, poi ritornavo a guar-

63

darla, sorridendo. Anche lei sorrideva, per darmi coraggio. Piú radi arrivavano i rumori della casa, strisciare di voci lontane, un passo, un cane che abbaiava, subito zittito.

— Hai l'automobile?

— No, — dissi: — Ma voglio comperarla. L'anno prossimo, forse.

— Anch'io voglio imparare a guidare. Se sarò suora mi lasceranno prendere la patente, me l'hanno promesso. Mi piacerà tanto, sono sicura. Sai che faccio sempre la somma dei numeri delle targhe che vedo passare? Tre e nove sono i numeri perfetti. Quando vengono loro mi sento fortunata... Oh, Antonino, mi aiuterai, mi terrai compagnia?

— Sí, — dissi: — Certo. Non parlare cosí, non soffrire.

— Io sono forte, sai, — continuò in un sorriso: — sono forte come un uomo. Nessuna è attiva come me, lo dicono tutte. Ma ho cosí bisogno di sentirmi protetta, anche. Vorrei essere debole, e non decidere mai niente, e lasciarmi portare, e fare tutto quello che mi si dice. Perché non può essere cosí?

— Sta' buona, buona.

— Scusami, — fece allora, allegra: — Sono noiosa, lo so. Mi accorgo di esserlo, ma ho tanta voglia di dirti mille cose. Non sono buona con te, vero? Cosí pensi, lo so, lo so. Invece non è vero, sapessi quanto sono buona, dentro di me, per te. Non c'è momento in cui non ti pensi, non c'è momento in cui non mi senta con te. Ti penso, prego sempre per te. Gesú ci aiuterà. Perché non dovrebbe? Tu sei un uomo buono e io sono una povera ragazza. Sí, una povera ragazza. Ma ho tante speranze. Dimmi che vuoi bene.

— Ti voglio bene.
— Ancora.
— Ti voglio bene.
— Tanto.
— Tanto.
— Piú che a qualunque altro.
— Piú che a qualunque altro.
— Allora non ho piú paura.

Sentivo il freddo indurirmi i piedi, salire lentamente alle caviglie, ai polpacci. Lontano, tram notturni filavano con lunghissimi stridi.

— Eccolo, — disse contenta: — È l'aeroplano. Vieni a guardarlo. Lo aspetto tutte le sere.

Il ronzio ondulante dell'aereo penetrava appena attraverso i muri, ci avvicinammo alla vetrata e lei spalancò uno dei portelli. Nel cielo nero, dopo un lungo minuto d'attesa silenziosa, apparvero i segnali ammiccanti dell'aereo, rosso e giallo, rosso e giallo, punta e coda. Ondulavano su e giú, in un battito soffice di motori, scivolavano dall'alto verso il confine lontano della città.

65

— È l'aereo da Roma, passa tutte le sere, — dissi sottovoce.

— Bello, — sussurrò lei.

L'occhio rosso e l'occhio giallo battevano ancora, piú lontano, e il rumore persisteva sempre piú dolce e sfumato nell'aria, finché fu silenzio.

— Senti adesso, — sussurrò.

Il tubare cupo dei colombi risvegliati dal rumore correva per i tetti e i cornicioni dei palazzi in un ribollire lugubre e tiepido.

— Cari, — disse: — cari nei loro nidi. È vero che i colombi non si tradiscono mai, che la coppia dura fino alla morte?

— Mi pare.

— Senti, — disse guardando ancora il buio.

— Fa freddo, chiudi.

— Non sei mai stato in aeroplano? — domandò.

— No.

— Perché? Avresti potuto. Perché non hai mai volato? Perché? Vorrei che tu avessi fatto tutto e adesso potessi raccontarmi un milione di cose. Sarebbe cosí bello.

Eravamo ritornati a sedere e dal buio il suo volto si era ricomposto nello spiraglio.

— Io andrò su un aeroplano. Non ho paura, — disse: — E non penso mai che andrà sempre avanti cosí. Mi sembra impossibile. Tu hai paura di morire?

— Non so, non ci ho mai pensato.

— Io devo essere stupida, — rise lei: — perché sono convinta che non morirò mai. So cosa vuol dire, ho visto tanti malati e morti. Prego per i morti. Ma io sento che per me è impossibile morire, capisci? Sai che non ho mai avuto un mal di testa, che non sono mai stata un giorno a letto in vita mia?

— Serena, — dissi.

— Ma adesso parla tu. Io sono cosí noiosa, non sto mai zitta. Raccontami di te. Non mi hai detto quasi niente.

— Non saprei cosa dire. Sono uno qualunque.

— Non sei qualunque. Sei buono, gentile, vuoi bene, sei qui. Non sei qualunque. Quante cose vorrei che mi raccontassi! Io parlo sempre con te. In tutte queste notti non ho fatto altro che pensare e pregare per te. Ti ho tenuto tanti discorsi, ho parlato con te di tutto, come in confessione.

— Ma ti confessi? Ti confessi... per questo?

Mi guardò, poi sorrise a occhi chiusi.

— No, — disse, tornando seria e scuotendo il capo lievemente: — non so cosa confessare. Non mi vergogno, per me non è peccato. Non lo confesserò.

— E non ti penti?

Mi scrutò con gli occhi fermi.

— Pentirmi di cosa. Io non credo all'inferno. Neanche tu credi all'inferno, vero? Tutte credono al diavolo, ma

67

io no. È impossibile. E allora perché dovrei pentirmi? Voler bene non è brutto, non è peccato.

— Davvero vuoi me? — domandai, vergognandomi, per toglierla da quei pensieri.

Non aprí bocca, accennò lungamente guardandomi.

— Cosa posso fare per dimostrartelo. Dimmi.

— Niente, niente, — mi precipitai: — Siamo qui e questo basta.

— Sí, questo basta. Come sei bravo, — disse: — e come siamo fortunati.

— Fortunati?

— Certo. Potevi esser sposato, aver figli, o potevamo essere malati, paurosi. Se avessi avuto figli ti saresti disperato, se fossimo stati malati non avremmo avuto abbastanza forza. Ci ho pensato molto. Vedi che abbiamo tanta fortuna?

Abbassai lo sguardo trangugiando.

— Dammi un dito, — disse.

Allungai la mano, mi prese il dito, tenendolo appena tra il pollice e l'indice, e lentamente lo portò alla tempia, con delicatezza lo spinse facendolo penetrare fino al fondo dell'unghia sotto la benda stretta. La vena della tempia pulsava dolcemente.

Rise.

— Vedi. Li ho i capelli. Non sono una suora.

La mano mi ricadde sulle ginocchia.

— Serena, — dissi.

— Non muoverti. Non muoverti.

Allungò la mano e la infilò leggera e sottile sotto il cappotto, la giacca, scostò la cravatta e la posò sul cuore che ebbe un ingorgo violento. Allora la mano premette appena, finché il battito calmò, riprese, fu calmo di nuovo.

— Sacro... cuore... mio, — disse guardandomi.

Aveva ritirato la mano e il cuore non cessava piú di spingere contro la pelle, come gonfiandosi.

Frugai scomposto per una sigaretta.

— Fumi tanto. Mi piace. Non mi piaceresti se non fumassi. Quando accendevi una sigaretta alle fermate ero contenta per te. È vero che il fumo fa male?

— Sí.

— Mi farai provare?

Allungai la sigaretta.

— Oh, non adesso, — rise.

Ma subito tornò seria. Scuoteva il volto pallido.

— Tu non puoi pensare bene di me. Neanche se fossi soltanto una ragazza. Lo so, lo so, sta' zitto. Non ci si comporta cosí, pensi, e credi che abbia chissà quali idee. Ma non è vero. Ti voglio bene e non voglio diventare suora. Hai mai visto le facce delle suore vecchie? Sono rosee, lisce, sembrano pasta di caramella. Non ridere, è cosí. Io non voglio diventare come loro. Preferirei diven-

tare come mia madre, poveretta, tutta sfasciata e piena
di dolori. Ma ha avuto figli, ha lavorato, ha visto qualcosa. Non voglio esser fuori del mondo. Se due anni fa
alle elezioni aveste vinto voi... Mi è spiaciuto cosí tanto
di non poter votare...

— Voi chi? I comunisti?

Accennò di sí.

— Credi che non ci siano suore e preti che votino per
loro? Ce ne sono, sappilo. E io non li credo peccatori.
Neanche i comunisti sono peccatori. Facendo l'infermiera ho letto qualche giornale. Anche qui, di notte. I
comunisti qualche volta mi spaventano, ma almeno vogliono cambiare tutto. E tu, anche tu non vuoi qual-
cos'altro?

— Sí, — dissi: — credo. Ma cosa c'entra?

— C'entra, c'entra. Io non posso tornare a Mondoví.
Cosa potrei fare? La contadina, e i miei mi strapazze-
rebbero tutta la vita. Nessuno vorrebbe sposarmi, e tutto
il paese mi riderebbe dietro. E dove potrei lavorare?
Nella mia frazione a fare la contadina no, a Mondoví
città nessuno mi prenderebbe, e qui, a Torino, allora?
Non ho paura, ma è brutto, è brutto.

Rimasi zitto a guardare il tappeto.

— Non ho mai studiato, — diceva ancora: — e vorrei
sapere tutto, leggere tanti giornali, libri. Antonino, in-
segnami, ti prego. Vero che mi insegnerai? Dimmi che

avrai pazienza, che mi dirai sempre se qualcosa di me
non ti va. Giuralo.

— Lo giuro.

Ero felice.

— Antonino, Antonino.

Chinai il capo, in un'onda felice che mi cancellava il
freddo, la confusione.

— Non ti piacerebbe aver figli?

— Tanto, — risposi. Ero congestionato.

— Vorrei che tu fossi un trovatello, vorrei averti trovato per strada, e poterti allevare, preparare le minestre,
lavorare per te, portarti a scuola, in chiesa. Vai in chiesa?

— Poco. Quasi mai.

— Con me verresti, alla domenica. È bello, sai? Io
non prego mai come pregano le altre, che recitano le
cose imparate. Prego sempre in modi diversi, chiedo
tante cose, parlo con Gesú, gli parlo proprio. In questi
mesi ho sempre pregato come se lo facessi solo per te.
Lo so che gli uomini non vanno in chiesa, ma tu verresti con me.

Sorrideva.

— E poi ti sogno, — disse ancora.

— Davvero? Come?

— Non posso dirtelo.

— Ti prego. Subito.

— Non posso proprio, non adesso.

— Non c'è niente di male, — dissi.

— Ti offendi se non te li racconto?

— Sí.

— Allora te ne dico uno. Ma uno solo. E come in confessione: tu non ne parlerai e lo dimenticherai subito. Giuralo.

— Giuro.

— È un bel sogno. Mi è capitato due volte e svegliandomi mi sentivo piangere di gioia. Ecco: eravamo in un deserto tutto giallo, di sabbia ondulata che spariva lontano. Il sole era caldo, il cielo non aveva una nuvola. Dormivamo e tutt'attorno era una rete, una zanzariera. Tu dormivi e io ti guardavo, e certe volte voltavo gli occhi dall'altra parte per non guardarti troppo, sennò ti saresti svegliato. Non c'era un rumore e il sole a poco a poco se ne andava. Poi, chissà come, sotto la zanzariera entrava qualcosa. La sentivo ronzare e fischiare e non la vedevo. Non potevo muovermi sennò ti avrei svegliato, e intanto cercavo di vedere la cosa. Era una bestia, una zanzara, che brillava al sole con mille riflessi, come fosse di ferro. Il sole se ne andò di colpo e la zanzara sparí. Sentivo solo il suo sibilo e allora io alzai la mano. La tenevo sopra di te, muovendola adagio, su e giú, perché la zanzara potesse vedere subito la mia mano e non venisse da te. La zanzara si posò sulla mano e cominciò a mordere e succhiare. Stavo lí, ormai abituata al buio, con la mano in aria, e ti guardavo, e la zanzara succhiava, finché, soddisfatta, se ne andò via. Allora io cadevo sul letto, tutta senza sangue. Forse morivo.

— Serena, — riuscii a dire.

— Ricordati di me.

— Non penso ad altro, — dissi.

— Non pensare che a me. Ti aspetto sempre.

— Davvero mi aspetti?

Rise sottovoce.

— A mezzogiorno vengono cinque o sei poveri a prendere la minestra da noi. Suonano una campanella. Io non potrei andare a servirli, è proibito, ma ci riesco sempre. Per mesi ho sperato di vederti con loro. È stupido, vero? Eppure l'ho sempre sperato, ogni volta che suonava la campanella mi precipitavo. Adesso non ti aspetterò piú, si capisce, e mi dispiace persino. Era cosí bello.

— Se vuoi posso venire, — dissi.

— No, non dirlo. Non dirlo piú, altrimenti tutte le mattine mi costringerai a correre quando sento la campana. Non pensiamoci, adesso è diverso.

— Parla ancora, — dissi.

Per la prima volta, nel suo sorriso, le vidi i denti tra le labbra sottili.

— Parlo sempre io, — disse come rimproverandomi: — Ma ho tante cose da dirti. Non basterebbe una vita, una vita. E non potrei mai dirti tutto. Tu pensa questo:

73

quando ti dico « voglio bene », ecco, è la millesima parte di quello che vorrei, che dovrei dirti, è la milionesima parte, un niente. Tu sappi questo, ricordalo sempre. E poi ho tante, tante cose pratiche da dirti.

— Pratiche?

— Certo. Ma di queste mi vergogno.

— Dimmi, per piacere, se mi vuoi bene dille.

S'accomodò sulla sedia, allontanandosi appena dallo spiraglio, imbarazzata.

— Coraggio, — dissi.

Rise piano.

— Coraggio, — ripeté: — Sí, te le voglio dire. Tu mi aiuterai, ne sono sicura.

— Farò tutto quello che posso, tutto.

Mi guardava acutamente, rosea poi di nuovo pallida.

— Ebbene, sono tre cose.

— La prima?

— È che non ho mai soldi. Per prendere il tram mi dànno una tessera con due buchi soli. Se mi dessero soldi potrei, almeno al mattino, tornare a piedi per risparmiare. Non ho neanche un soldo. E vorrei comperare francobolli. Questa è la prima e anche la seconda cosa: perché voglio scrivere ai miei senza che la Madre mi legga le lettere. Capisci? Tutto quello che scrivo e ricevo è letto dalla Madre. Se avessi carta e buste e francobolli potrei scrivere per conto mio. Se tu... se tu ricevessi la posta per me, mia madre potrebbe scrivermi diversamente, potremmo parlarci. Non...

— Vuoi che riceva io la posta dei tuoi? Al mio indirizzo?

— Lo faresti?

— Sicuro.

— Proprio?

Aveva le mani giunte al petto, le vidi nell'ombra dello spiraglio, strette e minute.

— Si capisce. Ti darò la carta e metterò io i francobolli. E ti dò mille lire. Eccole.

Le prese con la punta delle dita.

— Mille lire? — disse ridendo.

— Ne vuoi di piú?

— Di piú? Ma io non ho mai visto mille lire! Che bellezza. Me le dài davvero? Me le regali? Che bellezza. Adesso posso sognare di comperare qualsiasi cosa. No, non credere, non le sprecherò, sta' tranquillo.

— Ti imbucherò io le lettere e riceverò per te quelle dei tuoi, — ripetei.

— Ti costa tanto? Sono noiosa?

— No, non parlarne nemmeno.

— Sei cosí buono, Antonino. Antonino mio.

— Ma sono solo due lettere...

— Non saranno due. Scriverò tutte le sere, tutte le sere.

— Qual era la terza cosa?

Rise, scuotendo la testa, si nascose la faccia tra le mani e continuò a scuotere adagio, ridendo sottovoce.

— Dimmi.

Scuoteva, scuoteva, con le mani che le nascondevano le guance e gli occhi. Il mento scoperto tremava in una risata silenziosa.

— Dimmi.

Scostò le mani, aveva gli occhi allegri, lucidi.

— Non ce l'avrai con me?

— No, giuro.

Mi sentivo completamente sicuro, adesso.

— Vorrei avere un regalo per Natale. I miei mi mandano sempre un pacco di biscotti, fichi secchi, noci. Ma non è un regalo. E io ne vorrei tanto uno. Lo vorrei da te. Non puoi?

— Sí, certo, sono felice di farti un regalo.

— Non me lo troveranno, — rise lei: — appena l'avrò avuto lo butterò via. Oppure lo nasconderò qui, in casa dell'avvocato. L'importante è averlo, capisci?

— Sí. Ma cosa? Dovresti dirmelo tu.

— Se te lo dico non è piú un regalo.

— Puoi suggerirmelo.

— No, io so cosa voglio. Però tu potrai sceglierlo e allora sarà lo stesso un regalo, una sorpresa.

— Sí, dimmi.

Di nuovo nascose il volto tra le mani, ricominciando a ridere.

— Dimmi.

Rideva, scuoteva il capo, non scopriva piú gli occhi.

— Un cappello, — disse furtivamente.

— Ma...

— Un cappello, un cappello, ti prego, — rise scoprendosi, arrossita: — Vorrei tanto provare un cappello. Mi piacciono le donne coi cappelli. Non lo scopriranno, lo nasconderò qui. Ma voglio averlo. Se non costa troppo, se tu vuoi. Perché se non vuoi non lo voglio piú nemmeno io.

— Te lo regalerò.

— Alla vigilia di Natale. Qui.

— Sí.

— Di': giuro.

— Giuro.

— Sei buono. Mi regalerai sempre qualcosa? Non dirai che pretendo troppo?

— No certo.

— Invece lo dirai. Mi dirai che sono noiosa, che non ti lascio in pace, che ti faccio spendere tanti soldi. Mio padre lo diceva sempre a mia madre, e sono solo contadini.

— A me non succederà.

— Ti annoierai.

— Tu ti annoierai. Sono vecchio.

— Non sei vecchio, non dirlo mai. Mi insegnerai tutto, e per questo ti annoierai, perché non so niente da sola. Capisci che non sono mai andata al cinema? Non so niente, niente.

— Imparerai tutto subito.

— E allora non vorrai piú bene.

— Te ne vorrò.

— No, litigherai. Bevi?

— Quasi niente.

— Invece berrai e sarai ubriaco e non vorrai piú bene. Mi dirai: lévati dai piedi. L'ho sentito dire.

— Non te lo dirò.

— Oppure avrai mal di stomaco e sarai nervoso. Ma io ti curerò, ti preparerò panni caldi.

— Mi brucerai.

— Oh, no, li proverò prima col gomito.

— Mi faranno diventare tutto rosso.

— Ma cosí guarisci prima.

— Bruciano.

— No, non bruciano piú, non bruciano piú. E dopo ti preparo anche qualcosa di caldo da bere.

— Oh, Serena.

— Antonino, Antonino, preghiamo.

S'alzò dalla sedia, si inginocchiò e il suo volto tra i

78

battenti fu all'altezza delle mie ginocchia. Allora mi scansai un poco, per non darle fastidio, poi, confuso, mi inginocchiai anch'io, scivolando lentamente sull'ispido tappeto.

— Preghiamo, — ripeté senza alzare la fronte dalle mani congiunte.

— Ti vergogni? — mi forzai a domandare.

Scosse il capo con foga.

— No, preghiamo per noi, per il nostro coraggio. Preghiamo Gesú, che è buono, è grande, capisce tutto.

Subito fu silenzio.

— Serena, — dissi dopo un poco.

Ma ancora teneva il capo piegato.

Mi accorsi di aver pregato anch'io, con pensieri che erano fuggiti via tepidamente, senza pianto.

Rialzò il capo e con gli occhi fissi altrove fece il segno di croce.

— Ora non devo pregare piú per te, ma per noi, — disse rialzandosi.

— Serena, — sussurrai.

— Devi andare, è molto tardi.

Aveva un'altra voce, una strana severità le era salita allo sguardo. Stava in piedi dietro la porta, con le mani nascoste nelle profondità delle maniche incrociate.

— Va'.

— Sí, — dissi.

— A domani.

— Mi darai lettere da spedire, domani?

Accennò di sí ad occhi chiusi.

— Domani, — volli dire ancora.

— Cuore mio, — disse, con severità quasi, senza guardarmi.

Non sapevo come allontanarmi, estrassi a fatica una mano di tasca e la tesi per un saluto.

Scosse appena il capo, le sue mani non comparvero dalle pieghe nere richiuse sul petto.

Scesi le scale e dopo la prima rampa mi voltai. Era tra i battenti, in piedi, e guardava. Scesi adagio, sentendo il freddo a chiazze e morsi per tutto il corpo.

Uscii in strada, in una luce nera, sporca, striata di venature verdognole che dicevano già il mattino. Lontano, a un incrocio di tram, operai lavoravano sulle rotaie sprizzando cascate di faville dalle fiamme ossidriche.

M'incamminai verso casa, in mille pezzi.

20 *dicembre, mercoledí*

Mi ha svegliato Mo al telefono, dall'ufficio. Non ho avuto bisogno di alterare la voce, Mo ha subito capito che non sto bene.

Ho dormito tre, quattro ore di un sonno doloroso, dopo la telefonata sono rimasto a letto fino a tardi, ogni tanto assopendomi un quarto d'ora.

Non sapevo che in un uomo esistesse tutto questo, che si è di sedici come di quarant'anni, sempre.

La notte passata ritorna a ondate, quando si ritira lascia scoperta un'emozione viva, elettrica, irritante. Mi sono tagliato radendomi, ho rotto anche un bicchiere. Sono sceso per il giornale e il caffè, i titoli sulle pagine scappavano davanti agli occhi e dovevo continuamente ritornare indietro per ricostruirne il senso.

Ho un intero pomeriggio davanti. Che potrò fare? Dormire, andare a spasso, al cinema, oppure in ufficio?

Non ero piú stato in giro a quest'ora, prima di mezzogiorno, da chissà quanto tempo. La città corre in fremiti che si accavallano e congestionatamente si spezzano in mille rivoli di rumori, passi, voci. C'è una luce di seta, congelata.

La gente scivola, scatta agli angoli, s'attruppa alle fermate dei tram. Tutto mi appare rimpicciolito, lontano, senza presa su di me.

Serena dorme, a quest'ora. Ci siamo detti tutto. E adesso?

Mi sento sciogliere le ginocchia se le parole che ho sentito da lei si ricompongono nella memoria.

Vagando a casaccio tra le strade dell'Oltrepò sono cascato in una torma di giovani che uscivano di scuola. Sono stato travolto da corse e risate, che hanno agito come una doccia bollente sui miei nervi stanchi. Li ho guardati allontanarsi strepitanti. Per la prima volta non ho provato fastidio, come normalmente mi succedeva quando li incontravo sui tram, sotto i portici, quando li sentivo far gazzarra al cinema. Li capisco: hanno ragione ad aver fretta, a volersi sposare giovani e far figli. Si sbaglierà, ma almeno si è tentato. Sono piú coraggiosi e onesti di noi anziani, non hanno la nostra maledetta prudenza che ci fa inciampare ad ogni passo.

Camminando sono arrivato fino al ponte sul Po. Il fiume scorreva gonfio, color terra. Ho girato sui tacchi e mi sono fermato nel sole di ghiaccio davanti alla Gran Madre di Dio. Senza forze ho scalato la lunga gradinata che porta alla chiesa e se non sono entrato a sedere su un banco a pregare è stato per un informe ritegno, per una debolezza che mi hanno risospinto giú, piú fiacco di prima. Mi sono avviato a casa, con voglia di pregare, di abbandonarmi a parole di preghiera. Ma pregare come? Ecco, mi vergogno a scriverlo, adesso, ma ho tentato mentalmente il *Padre nostro*, e non aveva senso. Le parole venivano una dopo l'altra, miracolosamente ricordate, ma subito fuggivano via, immiserite e scostanti.

E lei: dorme o prega, prega per noi, a quest'ora? Ho cosí voglia di parlare, dire tutto a qualcuno. Sono entrato in un bar e mi è parso incredibile che nessuno si accorgesse di cosa ho dentro, di come vivo.

Forse potrei parlarne ad Anna. È una donna, mi vuol bene, è convinta di sapere quel che mi occorre. Ma non mi fido, ho paura che, parlando, tutto s'involgarisca, faccia nascere negli altri soltanto pensieri maligni.

Mi sono nuovamente trascinato sul letto come pieno di dolori. Una grande gioia mi scuote, balza per esplodere, non ho mai avuto tanta ricchezza, non sono mai stato cosí bene: ma quando questa gioia affiora è mille dolori, mille piaghe. Non riesco a leggere il giornale, non riesco a starmene disteso, non ho un pensiero coerente.

Sono le cinque, tra due ore sarò di nuovo sul viale, alla fermata. Guardo le lancette dell'orologio e godo e mi eccito e mi spavento nel vedere i secondi camminare.

Sono un povero diavolo, anche questa gioia, questa fortuna me lo confermano. In certi attimi non oso credere, le parole che lei mi ha detto mi ripiombano addosso con violenza, mi sembra di riuscire a capire, oggi, tante tragedie di cui si sente o si legge, tanti trasporti che, normalmente, parevano solo inventati, ridicoli. Vorrei che tutti al mondo potessero godere di questa fortuna e vorrei, altrettanto, che nessuno potesse averne mai una briciola.

E lei è in qualche punto della città, forse per strada, e parla e mi pensa. Già questa immagine basta a riempirmi, mi dà frenesia, e insieme una lunga stanchezza, uno spossamento da malato.

Da tre giorni vago come un disoccupato, cammino, mi annoio, rimango estatico, all'alba ritorno a casa per vie che sembrano di vetro.

Ho avuto però la forza di ottenere dieci giorni di ferie anticipate, da oggi al due di gennaio (i principali hanno molto apprezzato che abbia messo in conto dei giorni di ferie il mio supposto «principio d'esaurimento»).

Ogni sera sono stato con Serena. Abbiamo parlato, abbiamo avuto lunghissimi silenzi. I rumori della notte erano soffici e misteriosi. Nella strada, spiando dalla vetrata, potevamo vedere operai ammassare traversine di legno, rivoltare grandi lastroni di pietra. I binari scoperti e il pietrame ammucchiato qua e là mandavano lampi, riflettendo i fuochi accesi con sterpi e catrame. I vapori del catrame salivano fino a noi e Serena non si stancava di guardare gli operai muoversi con la fiamma ossidrica, inchiavardare e lucidare tratti nuovi di rotaia. Una gigantesca matassa di filo di rame splendeva cupa-

mente, cigolando lasciava scorrere a rilento tratti di filo
che veniva ingoiato dal sottosuolo.

Ci siamo lasciati all'alba, ogni volta tremando di piú
all'ultimo saluto.

Di giorno, quanti rimorsi.

A momenti di pigrizia quasi dolorosa succedono momenti in cui sento che potrei e forse dovrei fare chissà
quali gesti. A volte ho paura di essere guardato come
fossi sporco o matto, a volte mi irritano i passanti che
nemmeno si accorgono di avermi urtato.

Passeggiando, mi sono sempre sentito in colpa per
non essere al mio solito tavolo in ufficio, davanti a Mo
e Iris. Mi ha infastidito entrare e uscire dai caffè, dal cinema, avere un giornale in mano in ore inconsuete. Mi
sono arrabbiato con me stesso, accusando la prudenza, la
mancanza di fantasia, l'abitudinarietà: inutilmente, i
rimorsi restavano. Per calmarmi ho dovuto, almeno due
volte al giorno, telefonare a Mo, farmi dire le novità
dell'ufficio.

Se pensavo ad Anna, altri rimorsi. Ieri pomeriggio è
venuta a trovarmi, era di umor nero, ho preferito fare
il malato e lamentarmi per evitare discussioni. Allora si
è rappacificata un poco e mi ha quasi perdonato le spa-

rizioni serali. Mentre si svestiva ho voltato il capo contro il muro per non vederla. Si è infilata tranquillamente nel letto allungandomi contro i piedi gelati. Non riuscivo a sopportarla e tuttavia ricordo di aver pensato: adesso la metto incinta e cosí la faccio finita.

È stato l'ultimo pensiero vigliacco. Da quel momento, da quando Anna è uscita, ho capito di aver deciso.

Mi sarà difficile superare rimorsi e discussioni, non so come succederà, quando, non so cosa dovrò affrontare e sopportare, può darsi che si debba urtare in chissà quali inciampi, nel lavoro e altrove, ma ho deciso. Sposerò Serena. La differenza d'età, il suo stato, non contano, anzi, insieme a paura mi dànno anche uno strano incitamento. Mi sento ricco, pieno di volontà, mi sento sicuro.

Oggi è arrivata la prima lettera da Mondoví. Ha una grafia rozza, che attraversa l'intera busta con grandi caratteri e lunghe sottolineature. A sua madre Serena ha già scritto due volte.

Avviandomi al tram, pensavo: quando si è felici, tutto fa piú felici, anche il freddo, anche questa lettera in tasca (ricevendola, ho provato una gran voglia di aprirla e leggerla, ho dovuto forzarmi a non tentare una mossa cosí meschina).

Sulla pedana abbiamo lasciato passare due tram. C'era nebbia, folate di nevischio scendevano dalla collina. Fermi, sentivamo un uomo passeggiare su e giú lungo la pedana, alle nostre spalle. Tossiva e affondava il naso nel bavero del cappotto, arrivava fino al limite estremo della pedana e ritornava indietro.

— Ho una lettera, — potei dirle in un momento in cui l'uomo era lontano.

Non rispose, non voltò il capo.

Il tram arrivò, e mentre metteva piede sulla predella Serena ebbe un accenno di sorriso, lieto, rivolto all'intorno.

Mi bastò per l'intero percorso. Guardavo oltre i vetri e il fiume, la piazza, poi le vie scure e infinite come corridoi sotterranei mi venivano incontro dando piacere.

Passeggiai un'ora prima di salire fino al pianerottolo.

Sotto una tenda impermeabile un gruppo di operai mangiava in silenzio, tra i binari divelti, riscaldando mani e recipienti di alluminio ai fuochi accesi col catrame. Tenevo una mano in tasca e mi confortava toccare la lettera per Serena.

Quando salii era già alla porta.

— Antonino, — cominciò a dire: — ti sei ricordato di me? Ti sei ricordato di pregare a mezzogiorno come avevi promesso? Dimmi come hai pregato, poi ti dirò come ho pregato io.

Domani è la vigilia di Natale. Ci sarà il pranzo da Anna, dovremo scambiarci i regali.

Perché l'amore rende cosí impietosi? Non mi è mai importato gran che dei capelli di Anna, del suo modo di vestire: ora, proprio perché amo Serena, proprio perché Serena mi ama, critico ferocemente Anna, ho voglia di dirle che i suoi cappellini sono stupidi, i suoi capelli stopposi, i suoi abbracci...

Quando Anna mi sollecita a scegliere tra due film, o quando Mo mi telefona dall'ufficio, mi sento quasi travolgere da una straordinaria gioia, da una crudele sicurezza: vorrei dire cosa penso, come li vedo, chi sono io adesso. Non so come riesco a contenermi e quando osservo Anna m'accorgo che tutto quello che ho, che sono, mi sale agli occhi, traspare tra una parola e l'altra. Lei mi guarda, parla, e non capisce, non avverte nulla. E anche questo è incredibile.

24 dicembre, domenica

Un basco scozzese di lana pelosa, a quadri e strisce rossi e azzurri e verdi, con un cinturino interno di cuoio rosso, e una breve nappina che pende da un lato: l'ho rimirato a lungo dietro una vetrina di via Roma prima di entrare a comprarlo. Gli altri cappelli, su manichini o grucce, andavano a sghimbescio, cascavano o s'impennavano. Questo invece stava quieto dentro la sua carta velina in una scatola rotonda, appartato in un angolo tra file di guanti.

Dal negozio entravano e uscivano donne e ragazze, cariche dei pacchi natalizi. Ho dovuto aspettare un bel po' prima che una commessa mi servisse. L'ha voluto provare perché fossi sicuro dell'acquisto, l'ha inclinato prima su un orecchio, poi sull'altro, ridendo.

Sono uscito con il mio pacchettino di carta velina e ho camminato felice fino alla stazione, senza accorgermi di nulla, vetrine illuminate e rumorose, gente, freddo, pini tra le colonne dei portici.

Appuntamento alle otto, in un bar del centro, con Anna, Mo, Iris, per la cena di Natale. È stata di Anna l'idea di costituire un quartetto e trascorrere la vigilia al ristorante.

— È musone con lei come con noi? Allora sta fresca, — diceva Iris ad Anna guardandomi entrare. Il caffè era fitto di gente e Mo era andato a prendere gli aperitivi al banco.

Tornò con la solita faccia gaudente.

— Niente ristorante, in queste sere non si trova posto. Ho un'idea. Perché non comperiamo polli, patate, torta, e non andiamo in un bel posticino che so io? D'accordo? Anche tu non fai il « Bastian contrario »? Via, allora.

Mezz'ora dopo, sulla macchinetta di Mo, correvamo per viali bui, i pacchi dei polli, dei dolci, degli antipasti in bilico sulle palme aperte.

— Signor..., — cominciava Anna, ridendo.

Rideva d'ogni cosa, la odiavo.

— Niente signore, mi chiami Francesco, — disse Mo: — Vero Mathis che ci dài il permesso di chiamarci per nome, di darci il « tu »? E non star lí con quella faccia, è festa, non mettere i bastoni tra le ruote.

— Io a mezzanotte vado a messa, — dissi brusco.

Tutti risero, sentivo la gamba di Iris contro la mia, nel buio la sua bocca si apriva ridendo, parlando forte.

— Dove siamo, dove siamo, — gridava sporgendosi.

— Lasciate fare a me, — rideva Mo.

Il giardino ci scorreva ai lati con ombre fitte e rapide, ondate di nebbia svaporavano davanti ai fari.

— Qui c'è compagnia per tutti, — rideva Mo, e le donne si sporgevano curiose a guardare le prostitute stazionanti agli incroci del vasto giardino, tra ombra e luce.

— Se volete divertirvi poi ne invitiamo qualcuna, — insisteva Mo.

— Non cominciare, — protestava Iris contenta.

Anna rovesciava la testa in gran risate nervose.

Subito dopo un breve tunnel Mo frenò. A sinistra avevamo la sagoma enorme, truce, di un sommergibile interrato tra gli alberi spogli.

— «Marinai d'Italia», — spiegò Mo: — Il gerente è un amico mio, ha del buon vino, ci dà una sala tutta per noi. Magari lo invitiamo a bere un bicchiere, se vi va. Qui si sta tranquilli, se abbiamo caldo ci sediamo nelle barche...

Le donne ridevano, battevano i tacchi sull'asfalto.

— Quando avremo bevuto tutto, — precisava Mo.

Entrammo oltre lo steccato, una pozza di luce rompeva le tenebre del giardino. Dalla casetta di legno a due piani uscí un uomo, piccolo, grasso.

Strinse la mano a tutti.

— Non fare sbagli, sono donne serie, — rise Mo.

— Si capisce, si capisce, — assentí l'uomo con aria furba. S'incamminò per farci strada.

— Attenti alla scala di legno. Attente le signore a non rovinarsi le caviglie. Una volta una ha voluto correr troppo e mi è restata qui un mese. Non aveva neanche la mutua.

Anna e Iris si torcevano dalle risa, Mo seguiva l'uomo tenendogli una mano sulla spalla.

Dalla scaletta si vedeva il fiume, nebbioso e nero oltre la stretta riva e la fila degli alberi.

— Lí ci sono le barche, — spiegava ancora l'uomo: — Se le userete fatemi poi il favore di dirmi quali hanno buchi.

— Simpatico, simpatico, — dicevano le donne.

Eravamo in una stanza foderata di legno, fredda, con tavolini deserti e ammonticchiati.

— Accendo subito le stufe elettriche, — disse l'uomo e prima di sparire ribaltò due tavoli congiungendoli.

— Porterò tovaglia e tutto il resto, — gridò da fuori.

— Staremo da papi. Appena farà caldo staremo da papi, — disse Mo.

Si dava da fare, preoccupato che tutto risultasse in ordine al piú presto. In un attimo i polli, gli antipasti, le patate, le anguille marinate furono allineati sui tavoli, su una tovaglia di carta. Le stufe elettriche si arrossavano rapidamente.

— Il vino, — gridava Mo e l'uomo con urla di «pronti» riappariva tenendo alte le bottiglie stappate.

— Un bicchiere anche per te, — lo incitava Mo.

L'altro fingeva di schermirsi.

— Non bevo piú, ho la dilatazione di stomaco. Non vedi che sembro incinto? Tocca, tocca. Via, un bicchiere per la compagnia. Però: prima vado sotto a sprangare il cancello. Niente marinai in pensione, stasera.

— Nel sommergibile, cosa c'è nel sommergibile, — gridava Iris.

— Polli e conigli, signora. Se vuole poi glieli faccio vedere, — rispondeva serio l'uomo.

Iris e Anna tossivano, mangiavano, avevano gli occhi lustri. Il vino era spesso e nero, schiumava nei bicchieri con un bordo alto e violaceo che tardava a ritirarsi.

— La sapete la storiella di quei due sposi..., — ricominciava Mo.

Mi alzai per cercare le sigarette nel cappotto. Tastai la tasca interna per godermi il crepitío della carta velina che avvolgeva il basco. La testa mi girava, avevo già bevuto troppo.

— Vienti a sedere, cosa fai laggiú, — gridava Mo.

— E lascialo stare, quando la malinconia gli sarà passata si farà vivo, — mi derideva Iris.

Respinto dalle stufe elettriche il freddo si riformava pungente negli altri angoli della stanza. Un vento not-

turno aveva sciolto la nebbia, al di là dei vetri il fiume
appariva schiacciato come una placca di ferro lucido.

— Nessuno sa suonare? Sotto ho una fisarmonica.
Nessuno sa suonare? — gridava l'uomo: — Cos'ha il vostro amico, sta male? Questo vino non ha mai fatto male
a nessuno.

— È triste, — rideva Mo.

— Canti lei, cantiamo, — gridava Anna.

Li udivo come se fossero enormemente lontani, e provavo nausea di loro, di quella cena, quelle risa. L'orologio segnava le undici e mezzo.

— Vieni quando vuoi, non preoccuparti, ecco la chiave
del portone, — mi aveva detto Serena: — Ti aspetterò,
non preoccuparti.

Tenevo la chiave tra le dita, in tasca, muovendola tra
i polpastrelli per confortarmi.

— Usciamo, usciamo.

— Le barche no, — disse l'uomo preoccupato, smettendo di cantare.

— Una sola, un giro solo, — insisteva Mo.

— Senti una cosa, — fece l'altro abbassando la voce e
trascinò Mo in un angolo. Subito Mo gli scappò davanti
ridendo.

— Ehi, donne, — gridò: — Sapete cosa vuole l'amico?
Mi ha chiesto con chi di voi due può aver soddisfazione...

— E piàntala, che figure mi fai fare. Non dategli retta,

è ubriaco, — insorse l'uomo preoccupato correndo a braccia aperte incontro a Iris e Anna.

— Marameo, — gli rise in faccia Iris agitando le dita a ventaglio davanti al naso.

— Ma si capisce, si capisce, — si scusava l'uomo: — È Francesco che è ubriaco. Figuriamoci se io...

Scendemmo la scaletta, le donne abbracciate cantavano.

L'erba sulla riva era gelida, strideva sotto i passi, le barche ondulavano appena sul pelo dell'acqua.

L'uomo e Mo, in camicia, con le maniche rivoltate fin sopra i gomiti, studiavano le barche, le donne fumavano. Poi Iris allungò un braccio, mi costrinse ad avvicinarmi e Anna dall'altra parte si accostò anche lei, senza guardarmi. Le sentivo respirare e fumare al mio fianco, la mano di Iris, infilata sotto il braccio, mi strinse appena. Mossi un passo avanti per liberarmi.

— Una grande per tutti non c'è, — spiegava l'uomo: — Meglio rinunciare, non mettetemi nei pasticci.

Mo risalí la riva.

— Dammi mille lire, — disse sottovoce allungando la mano: — Altrimenti quello non si muove, lo conosco.

— Te le dò, ma questa storia è idiota.

— Non fare il guastafeste. Le donne hanno piacere di andare in barca. E allora? Arriviamo fino al ponte e poi torniamo. Avanti, smettila.

Ritornò giú a balzelloni.

— Venite, — gridò l'uomo: — Sbrighiamoci e faccia-
mola finita. Voi due prendete quella piú piccola, l'altra
la porto io.

Sedetti vicino a Iris e l'uomo cominciò a remare. Dietro a noi veniva la camicia bianca di Mo, le grida nervose di Anna ci minacciavano.

Andando con la corrente si scorreva lisci sull'acqua
catramosa, rapida in improvvisi luccichii che riflette-
vano i fanali del grande giardino. Sui ponti lontani mi-
nuscoli tram passavano senza rumore. L'uomo seduto
davanti a noi vogava adagio, serio, sospirando con forza,
attento a sorvegliare Mo che ci aveva raggiunti e remava
alla nostra altezza. La mano di Iris era sul mio ginocchio.

— Non vuoi, — sussurrò, — non ti piaccio.

Non era una domanda, ma quasi una protesta, un la-
mento. Rimasi zitto. La mano si strinse e mi pizzicò
duramente, con insistenza. Non mi mossi, cocciuto.

— Idiota, — sussurrò la voce.

Scivolavamo dolcemente verso il ponte e l'uomo senza
sforzo deviò la barca puntando alla riva.

— Fa sudare, — commentò a bassa voce.

Anche Mo doveva essere stanco perché lo seguí senza
proteste.

Alla riva scendemmo, Mo offrí sigarette, respirò a
bocca aperta.

— Però, a cinquant'anni, mica vado male, — disse contento.

Le donne s'erano accucciate sull'erba gelida, sbuffando e ridendo.

— Eccola qui, — gridò trionfante Mo sfilando la bottiglietta tascabile del cognac dai pantaloni.

— A me, a me, — gridarono tutti.

L'ultimo a bere fu l'uomo delle barche. Tirò una lunga sorsata, rabbrividendo, si lasciò andare sull'erba con un sospiro.

— Sempre festa, non se ne può piú, — disse.

Ma erano stanchi e fumarono qualche minuto in silenzio. Anch'io mi ero accucciato, raggomitolandomi contro il freddo.

Un grido altissimo ci inchiodò. Veniva dal ponte, alto, a cinquanta metri sulla nostra sinistra.

— Qualcuno s'è stufato di vivere, — scattò l'uomo delle barche subito in piedi.

Teste e braccia già si agitavano oltre la spalletta del ponte, un tram scampanellò a lungo prima di fermarsi. Sotto le luci nereggiavano sagome vocianti.

— Dove...

— Là...

— Un uomo?

Le grida tagliavano l'aria gelata.

Scrutavamo anche noi l'acqua buia, compatta.

— Qui mi becco la medaglia d'argento. Chi viene con me? — si affannò l'uomo delle barche precipitando verso la riva.

— Io, io, — gridarono gli altri.

— Piú di due no, — rispose lui già sulla barca. Anna e Mo lo raggiunsero, Iris tornò indietro.

Li seguimmo finché il buio del fiume non li ebbe ingoiati.

Dal ponte le voci cadevano fitte, disordinate, lame di luci improvvise piovevano qua e là. Il tram aveva ripreso a scampanellare chiedendo via libera. Si vedeva un armeggiare nel gruppo di teste piú fitto, piú nervoso, e di colpo un fascio di luce calò fulmineo sull'acqua. Avevano alzato una moto sulla spalletta del ponte e il fanale cominciò a sciabolare istericamente il pelo dell'acqua, che si increspava rabbrividendo al contatto di quel raggio bianco.

— Piú in là...

— Dove...

Sentivamo gridare, il battito del motore riempiva l'aria, e un fascio di braccia tratteneva e agitava la motocicletta rombante. Iris taceva vicino a me, tremando. Il raggio investí in pieno la barca dove Mo risultò in piedi, con la camicia bianca che parve illuminarsi.

— Muovete quel coso...

Era la voce dell'uomo dei « Marinai d'Italia ».

— Muovete, sbrigatevi...

Era la voce di Mo.

Il raggio sciabolava frenetico rivelando l'acqua nera e densa. Ancora una volta Mo e Anna vennero inquadrati dalla luce e subito disparvero nella massa cupa della notte. Sul ponte lo strepito calava e cresceva tra gli scampanellii irritati del tram. Una sirena si annunciò da lontano, oltre il grande giardino.

— I pompieri, era ora...

— Che c'è, che è successo, — fece una voce dietro di noi.

Era una vecchia ragazza ritinta, sbucata dall'oscurità dei cespugli.

— Qualcuno s'è buttato dal ponte, — rispose Iris.

— Uomo o donna, — domandò ancora l'altra.

— E chi lo sa?

La ragazza rimase un attimo a scrutare, fumando, poi riguadagnò la sua tana al buio.

— Perché mai s'ammazzano tanto, non lo capisco, — disse Iris: — La sera di Natale, poi. Sarà un matto.

Adesso glielo dico, non ce la faccio piú, pensavo, le dico tutto, tutto.

— Sono innamorato, — dissi a voce alta.

— Davvero, — fece lei con un risolino, senza guardarmi: — E non di Anna, si capisce. Sei un cretino.

— Eh?

— Cretino. Sarai sicuramente innamorato di una ragazzina che te la farà pagar cara. Ma te lo meriti, come tutti gli uomini. Non mi fate nessuna pietà.

Schiacciò la cicca rabbiosamente sotto il piede.

— Nessuna pietà, — ripeté a bassa voce: — Mascalzoni.

— Perché ce l'hai con me? Che ti ho fatto?

Rise, si voltò a guardarmi e mi stupí sgradevolmente la sua faccia larga, tagliata dal rossetto, affaticata.

— Poverino, povero cocco. Niente mi hai fatto, proprio niente. Solo non ne posso piú degli uomini. Quando non sanno dove battere la testa si innamorano e credono di poter fare e pretendere chissà cosa. E non raccontarmi la tua storia, sai? Non voglio saperne niente.

— Volevo...

— Niente. Sta' zitto, cuoci nel tuo brodo.

Tornammo a scrutare la fossa plumbea del fiume. Sul ponte non strepitavano piú, seguivano attenti le manovre dei pompieri che esploravano le arcate lanciando lunghi raggi di luce fumosa con le torce a mano. La luce incrociata fulminò per un attimo la barca con Mo e Anna. L'uomo dei « Marinai d'Italia » vogava ormai verso riva, avendo rinunciato alle ricerche.

— Tornano, — dissi.

— Sí, — fece Iris: — E se non sei rimbecillito del tutto cerca di non rovinare la festa. Un morto basta.

— Oh, va' al diavolo, — mi ribellai: — Non capisci

che sono cambiato, che sono un altro? Cosa vuoi che mi importi di feste, della tua rabbia, di tutti voi?

— Va bene, va bene, — rise, inaspettatamente conciliante: — Ma fatti furbo e niente predica, per piacere.

Mo e Anna già risalivano la sponda, affaticati.

Dal ponte il tram era ripartito, teste si muovevano ancora oltre la spalletta, la moto era scomparsa. I pompieri scandagliavano il pozzo buio tra le arcate con le luci, lanciando rauchi richiami. Ma tutti ormai erano rassegnati.

— Lo troveranno domani alla diga, — disse l'uomo delle barche: — E noi, se va bene, ce la caveremo con una polmonite semplice.

Poi si arrabbiò.

— Ma perché non si ammazzano con il gas? Vengono qui, questi cretini, e cosí fanno passare il Po come un posto di disgrazia e chi ci rimette siamo noi e le nostre barche. Niente piú cognac, fratelli? Sono gelato.

— Non mi ammazzerei per tutto l'oro del mondo, — disse Anna con voce vuota.

— Neanche io. E sí che non mi mancano le ragioni, — rise sottovoce Iris.

— Le donne è difficile che si buttino. Poche, molto poche, — commentò l'uomo delle barche, rabbrividendo.

Anche Anna ebbe un tremito, ma non si avvicinò. Mi

faceva pena e sentivo che rabbia e noia la tenevano lontana da me, forse dolorosamente, ma non riuscii a muovere un passo per consolarla in qualche modo.

Il fiume era nuovamente silenzioso, e l'odore della nebbia saliva dalle acque nere intenso, buono.

Mo fumava guardando per terra, silenzioso.

— Si torna? — propose l'uomo.

Pur contro corrente si fece presto. Anna era salita in barca con me ma non scambiammo parola, l'uomo vogava di furia e, dietro, Mo faceva fatica a mantenere la distanza.

Solo quando si fu nella sala dei « Marinai » ripresero a parlare. L'uomo aveva portato bottiglie di liquore, aveva acceso la radio e scoperto una stazione che trasmetteva musica da ballo. Eravamo seduti attorno al tavolo e tutti bevevano velocemente bicchierini di doppio kümmel. Poi Iris e Anna si alzarono per ballare.

— Girate, forza, fate vedere le gambe, — gridò Mo.

E rise, anche l'uomo rise, e subito Iris e Anna riebbero colore alle guance. Ballavano, tenendosi allacciate e separandosi ogni tanto con violenza per riprecipitarsi con forza l'una nelle braccia dell'altra.

— Due donne insieme fanno la solita figura..., — ghignava l'uomo piegato verso Mo.

Mo assentiva, fumava, con gli occhi lucidi, il sigaro

103

stretto tra i denti gli impediva di ridere a bocca aperta. Riempí i bicchierini con altro liquore.

— Peccato che nessuno sappia suonare la fisarmonica, — fece l'uomo.

— Me ne vado, — dissi.

— Con quella faccia lí è meglio che te ne vada davvero, — brontolò Mo senza guardarmi.

Mi alzai, infilai il cappotto, Anna mi guardò senza smettere di ballare.

— Te ne vai? — disse vorticando.

Quando fui alla porta la sentii corrermi dietro.

— Te ne vai davvero, — mi rise in faccia.

— Mi fate schifo, — dissi.

Mi sentivo arrossito, gonfio di rabbia impotente.

— Va' a prendere aria, va', non fare lo stupido, — rispose lei chiudendo la bocca in una smorfia.

— Non sono ubriaco. Tu, voi lo siete, e siete schifosi, — dissi.

— Oh, beh, sai cosa ti dico? Va' all'inferno.

La musichetta prorompeva gorgogliando dalla radio e i due uomini accompagnavano il ritmo con versi e mugolii che sostituivano le parole. Le donne avevano ripreso a ballare e Anna parlava concitatamente a Iris che mi lanciò un'occhiata di compassione.

Uscii, la notte era lucida, con la nebbia schiacciata come un velo sull'erba e sul Po. Gli alberi balzavano

leggeri dal filo umido e ondulante di vapori e le stelle
minutissime apparivano alte sulla collina oltre il fiume.

– Ehi, – era la voce di Mo.

Mi raggiunse al fondo della scaletta.

— Ma vai via davvero? Sei matto? Non sei mai stato
di compagnia ma stavolta esageri. Cosa me ne faccio di
quelle due? Vieni su, avanti.

— No, — dissi: — Non ne posso piú. Accompagnale a
casa, o al tram. S'arrangino.

— Ma Anna... Che cosa ne faccio di Anna.

— S'arrangi anche lei.

Mo mi guardava stupefatto, con gli occhi gonfi di
vino. Qualche pelo nero e grigio gli usciva dalla camicia
aperta sul petto.

— E poi c'è il conto. Quello là mica ci ospita gratis.

— Cosa vorrà?

Mo si strinse nelle spalle.

— Duemila, che ne so...

— Eccole, — dissi, frugando rapidamente: — Ma lasciami andar via. Su non torno neanche morto.

— Come amico sei tu che fai schifo, — borbottò Mo
intascando il denaro.

— Abbi pazienza...

— Pazienza? Mi lasci qui con quelle due e vuoi che
abbia pazienza? Non per mancarti di rispetto, ma al-

meno ci stessero. Invece dovrò anche accompagnarle a casa e fare il gentile.

— Fa' quello che puoi, me ne infischio.

— Ah, grazie, grazie mille, — ribatté Mo, offeso ma già rassegnato.

Gli misi una mano sulla spalla, sentendomi in colpa.

— Senti, — dissi: — sono innamorato di un'altra. Non ne posso piú di quelle due. Voglio star solo, respirare un po' d'aria. Sei un uomo o no, le capisci o no queste cose?

Mi guardava con gli occhi gonfi e umidi.

— Ah, è cosí, — borbottò: — bell'affare. E questa nuova...

— È una suora, — dissi subito.

Mi guardava.

— Suora, suora, — dissi.

— Vuoi metterti nei pasticci, — fece lui a bassa voce, socchiudendo gli occhi: — Vuoi rovinarti.

— Me la sposo, la voglio sposare, — il coraggio veniva dietro le parole, cresceva alla loro ombra.

— Sei impazzito, sicuro, — mormorava lui, senza piú guardarmi: — È cosí, sei impazzito.

Si liberò dalla mano che gli avevo posato sulla spalla.

— Senti bene: a me non hai detto niente, capito? Non ne voglio sapere niente dei tuoi pasticci. Fa' e disfa quanto vuoi ma non pretendere che io ti aiuti.

— Sei ubriaco, — dissi.

— Sarò ubriaco ma vedo chiaro. Vuoi rovinarti? Padronissimo, ma lontano da me. E sta' tranquillo che in ufficio, d'ora in poi, farò poche parole con te. Se sei matto, sta' coi matti. E del resto mica siamo amici da vent'anni.

Girò sui tacchi.

— Adesso quelle due le accompagno a casa e cosí potrò dire di aver fatto proprio un Natale coi fiocchi..., — borbottò ripigliando le scale.

Sentivo crepitare la carta velina nella tasca, a ogni passo, e il rumore sottile e secco, e le parole dette a Mo mi esaltavano come una leggera onda d'ubriachezza.

Macchine sostavano lungo i viali del grande giardino, con piccoli fari accesi e le ruote a metà affogate in quello strato di nebbia raso e fumigante.

Lunga era la strada che avevo davanti per raggiungere Serena e mi sentivo camminare come spinto da una forza estranea, le gambe reggendomi appena. Ero stanco e alla rapida eccitazione subito era succeduto uno sconforto, un dubbio vago ma dilatato, esteso dovunque.

In che strada mi sono messo?, pensavo, come andrà a finire?, perché se non sono con lei mi trovo subito cosí debole?

Per un lungo minuto non credetti possibile aver raggiunto il portone di Serena cosí presto. Aprii con precauzione, salii le scale sentendomi martellare le tempie.

107

Era là, dietro lo spiraglio, seduta, le mani congiunte sul petto. Gettai il cappotto sulla ringhiera.

— Scusami, scusami, — mi scapparono le parole: — Sono un verme, niente. Ho cosí bisogno di te, non sono niente senza di te. Dimmi che è tutto vero, ti prego. Io non sono forte come credi, sono un poveruomo...

— Sta' buono, buono...

— No, no, lasciami parlare. Non ho mai il coraggio di parlare. Non dirmi di star buono. Tu credi che io sia forte, sia un uomo. Invece ho una faccia di stoppa, che tutti prendono per vera. Ma non sono cosí. Dentro sono pieno di paure. Mi nascondo sempre, non ho nessun coraggio. Tu credi di poterti appoggiare a me, invece sono io che ho bisogno del tuo aiuto... Morirei, morirei...

Mi guardava, aveva nascosto le mani.

— Vuoi che muoriamo insieme? — disse.

Rimasi zitto, ansante.

— Allora sta' buono, ti porto la sedia.

Quando fummo seduti mi porse la lettera per il padre. Come sempre era aperta, passai la lingua sulla busta e la chiusi prima di riporla in tasca.

— Antonino, credevo fossi forte.

Chinai il capo scuotendolo.

— Devi esserlo, sennò non riusciremo mai. Non farmi disperare.

— Scusami..., — tentai.

Rise piano.

— Non fare i capricci, sii buono, non farmi disperare.

— Non riesco, non riesco...

— A cosa, in cosa?

Non sapevo già piú come risponderle.

— Non disperarti tu, non straziarti cosí, non mettermi in croce, — sussurrava lei, dolce.

Aveva appoggiato la fronte alla porta e mi guardava e parlava a bassa voce. Sentivo il suo fiato come un lievissimo sibilo.

— Antonino mio, — diceva ancora.

— Ma vedi, — ricominciai: — Non ho mai capito niente, e non sapevo di essere cosí debole. Tutto mi spaventa. Ho quarant'anni, capisci? È tremendo sentirsi cosí. Non so cosa devo fare...

— Antonino, vedi in che pasticci ti ho messo...

— Non è colpa tua.

— È colpa mia. Vivevi bene prima di conoscermi. Eri tranquillo. È colpa mia, allora. E questo sí che è peccato. Lo è.

Mi sentii spaventato. Alzai gli occhi a guardarla e lei sorrideva, con gli zigomi che parevano trasparenti di pallore.

— Non dire mai piú cose simili, — protestai: — È solo successo troppo in fretta. Non sono piú giovane, ho bisogno di abituarmi. Se sei buona non è difficile capirlo.

— L'ho capito.

— Non voglio dire che mi occorrerà molto tempo, ma un poco sí. Tutta la mia vita sta cambiando, è cambiata. Devo abituarmi.

— Ho capito, ho capito.

— Mi sento come in prigione, come uno in prigione che deve pensare lontano per salvarsi. Non sono un ragazzo che si accontenta della giornata.

— Sí, Antonino, ho capito.

— E allora sta' buona. E non disperarti anche tu. Se ti disperi non potrai piú tenermi compagnia, aiutarmi.

— Sí, Antonino, perdonami.

— Non parlare cosí.

— Dimmi ti perdono. Dillo.

— Ma sbagli se parli cosí. Non è giusto...

— Di': ti perdono.

— E va bene. Ti perdono, — mormorai.

Sorrise.

— Non basta essere nati, — disse poi in un soffio: — Bisogna anche fare qualcosa.

Respirammo in silenzio, senza guardarci. Dalla strada saliva un frastuono di canti ubriachi.

Non avevo il coraggio di estrarre l'involto di carta velina.

— Natale, domani. Andrai a messa?

Annuii.

— Una volta nella nostra cappella tenevano messe anche per il pubblico. Quest'anno no. Saresti venuto, vero?

Non risposi, mi vergognavo di come ero stato.

— Non disperarti, — disse ancora.

— Non sono mai disperato se sono con te. Non puoi
piú mancarmi nemmeno un minuto.

— Antonino, non avere spaventi. Sono qui. Non sei
forte, lo so, ma non disperarti per questo.

Mi sentivo arrossire, eppure una grande calma si al-
largava in me, una grande pace.

— Mi dài gran pace, — dovetti dirle.

— Lo so, — rispose, seria: — Ma tu cerca di non avere
mai piú paura. Mai piú. Non possiamo.

— Tu mi dài tanto coraggio.

Scosse il capo.

— Non devo essere io. Non ora, almeno. Devi essere
forte da solo. Io sono pronta, sono qui, io aspetto.

— Lo so, lo so, — mormorai.

— E questo non ti dà coraggio?

— Spavento, anche, — mi riuscí di dire.

La sentii respirare ma alzando gli occhi a guardarla
mi accolse il suo sottile sorriso e mi sentii capito.

— Il tuo regalo, — dissi contento.

Glielo misi tra le mani, lo resse senza piú sorridere.

— Non sei contenta?

— Sí. Ma adesso va', sei stanco. Va' e dormi e non pensare piú.

— Penserò a te, lo sai che penso sempre a te. Ci penserei anche se non volessi.

Sorrise a occhi chiusi. Teneva il pacchettino sulle palme, sorrideva e non mi guardava. Quando riaprí gli occhi il suo sguardo era lontano, fermo.

— Va', — ripeté ancora, senza alzarsi, senza guardare: — Va' e dormi. E ricordati la messa, domani, che è un giorno santo per tutti.

— Serena...

— Che Dio ti benedica.

Mi forzai a rialzare il cappotto dalla ringhiera, scesi due, tre gradini, avevo la testa vuota, speravo che mi richiamasse.

— È la prima volta che vado via cosí presto, — mi voltai a dirle.

Sorrise da lassú, in piedi dietro lo spiraglio della porta. La carta velina spiccava contro la tela nera della veste.

— È la prima volta, — dissi ancora lamentandomi.

— Sei stanco, — sussurrò da lontano.

— Sono stanco, ma mi faresti felice se mi dicessi di restare, — potei dirle.

Scosse il capo con quel suo sorriso senza fine.

— No, so che devi dormire, riposarti. Va', non farmi pentire.

— A domani, — dissi.

Accennava di sí con la testa e lo spiraglio si chiuse un poco. Allora retrocessi di qualche gradino ancora, indeciso a compiere un gesto di forza, a risalire in un balzo e riprendere a parlare come qualcosa in me avrebbe voluto.

Invece: — A domani, — ripetei.

Lei mi guardava in silenzio e lo spiraglio impercettibilmente continuava a assottigliarsi finché fu chiuso.

Natale, senza neve, con bave di vento gelido che fa stridere le porte.

Alle dieci mi ha svegliato Anna. Ho riappeso il ricevitore appena ho sentito la sua voce. Ancora ha chiamato, ancora ho interrotto. A una terza telefonata, verso mezzogiorno, non ho risposto. Mi sento ormai definitivamente staccato da lei, e non provo rimorsi di alcun genere. Dovrò soltanto dirglielo, per onestà, e il sapere che lo farò non mi rattrista.

Non so cosa sto diventando, ma so che voglio capire, vivere. Se Serena fosse qui la giornata sarebbe completamente diversa, io guarderei dalla finestra e anche il cortile vuoto della caserma, la fetta di strada grigia, il dorso delle case che montano la collina diverrebbero piú comprensibili, meno estranei. Comincio a capire quanto tempo ho perduto, quante cose un uomo non ha, e non sempre per colpa sua, quanto vale la compagnia vera, l'affetto, la fiducia. Erano parole, o anche sentimenti che mi parevano logici, compiuti, e adesso li sento difficili, da conquistare: cosí anche questa smania che si insinua nella mia felicità mi rende migliore, mi aiuta a capire, a forzarmi per capire di piú.

Ho camminato attorno al convento, sperando di udire suoni di messa, poi ho scoperto che l'ora era già tarda. Chissà se hanno avuto uno speciale pranzo natalizio? In trattoria, solo e contento di esser solo, ho mangiato in un angolo, tra comitive di gente scesa dalla campagna.

Ho poi camminato per viali che l'inverno e l'ora del primo pomeriggio avevano svuotato e reso lugubri. I passeri saltellavano sull'asfalto, i gruppi equestri nelle piazze avevano príncipi e cavalli con i gomiti, le spalle, sciabole, groppe e code corrosi e verdognoli: ero felice, con un desiderio infinito dell'estate. Ho ricordato improvvisamente il profumo dei tigli che hanno alcuni angoli e viali in città, alla metà di giugno: è un odore che sempre mi ha dato mal di testa, ma oggi arrivava a esaltarmi nella memoria. Come sarò, come saremo quest'estate?

Penso al caffè nella piazza antica, dove negli anni scorsi ho sostato alla sera. Ci sono piccoli lampioncini, un rettangolo di verde immobile intorno ai tavoli e alle poltrone di vimini, davanti si alza la facciata ricurva del palazzo dove nacque Vittorio Emanuele II, con un muro violaceo, caldo. Prima del tramonto stormi di rondoni volano tra il palazzo e il teatro che gli sta di fronte, si abbassano e guizzano fulminei per sparire improvvisamente quando il cielo diventa appena piú cupo. Attorno la città ronza stordita, ai tavoli siedono coppie di fidanzati che parlano di mobili, davanti al gelato, o vecchi coniugi con il giornale della sera spartito tra uomo e donna. Che lontananza, sempre, di tutto, da quando sono diverso, da quando non mi riconosco: potrò avere un'estate tranquilla?

Alle sette, al tram, ho aspettato tanto. Due, cinque corse: non è venuta. È Natale, ma avevamo appuntamento.

Forse ha dovuto sottostare a qualche obbligo particolare in convento, forse ha dovuto raggiungere la casa dell'avvocato prima del solito e non ha potuto avvisarmi. Non ho piú la chiave del portone e non ho potuto raggiungerla.

Alle nove sono rientrato. In casa subito mi ha colto una tristezza, un'irritazione non giuste. A letto, sono rimasto in agguato di un impossibile richiamo telefonico.

Siamo stati poco previdenti: se le succede qualcosa, se, ad esempio, l'avvocato muore, ci manca un qualunque mezzo per comunicare, per ritrovarci. Abbiamo fatto male a non accordarci subito, è colpa mia. Da uomo, avrei dovuto pensare maggiormente all'immediato futuro.

26 *dicembre, martedì*

L'ho aspettata fino alle nove, non è venuta.

Non avevo messo la sciarpa, come un giovanottino volevo apparire più elegante, meno infagottato. Il freddo della sera mi ha morso lungamente nel viale, la nebbia andava e veniva con folate minacciose.

Ho passeggiato su e giú, prima sulla pedana, poi lungo il marciapiedi, sperando di vederla comparire all'angolo, tenendomi pronto ad attraversare subito la strada e raggiungerla, fermarmi al suo fianco. I quarti d'ora passavano e il viale si faceva più deserto, dal Po cresceva l'alito freddo delle acque, l'insegna dell'unico caffè era diventata viola nella nebbia.

Non capisco, cerco di immaginare mille ragioni e mi ritrovo senza una risposta logica. Che posso fare?

Mi sento sfibrato, uno stupido pudore mi impedisce di telefonare in casa dell'avvocato. Ho ricopiato il numero del telefono su un pezzo di carta, lo guardo, lo guardo, faccio la somma delle cifre, non riesco a vincere questo infantile disagio. Eppure, se lui non è morto, qualcuno dovrà ben rispondere, qualcuno dovrà pur esserci in quella benedetta casa.

Mi sta crescendo una strana paura: di non vederla piú, che sia sparita, che qualcosa, qualcuno abbiano cambiato tutto. M'accorgo che non so quasi niente di lei, della sua vita. Abbiamo parlato tanto e non siamo arrivati a dirci le cose piú necessarie, piú comuni.

Sento che se davvero vi fossero solo inciampi di poco conto lei sarebbe riuscita a farsi viva. È troppo sicura e intelligente, mi vuole troppo bene. E allora? Che cosa sta succedendo?

27 *dicembre, mercoledí*

Ho camminato a lungo attorno al convento, in mattinata. A mezzogiorno si sono avvicinati alcuni poveri, anche qualche madre di famiglia, decente, coi bambini per mano e la pentola per la minestra nell'altra. Il portone è stato appena socchiuso e dallo spiraglio i poveri uscivano in fretta uno alla volta.

Ho provato a telefonare all'avvocato F. Conti. Il telefono squillava sinistro, ripetutamente, e sudavo aspettando. Dopo un quarto d'ora, mezz'ora, ho riprovato, pur sapendo che se lo squillo avesse ceduto di colpo a una voce io sarei rimasto muto per la vergogna, l'incapacità di spiccicare una parola qualsiasi. Ho rinunciato a provare ancora, quel suono dall'altra parte martellava dandomi terrore. Eppure non è possibile che tutto si debba trascinare cosí, senza un tentativo da parte di lei. Lo sa come sono, lo sa che non posso fare nulla: perché non mi cerca? Alle quattro sono corso a casa sperando di trovarvi un biglietto, una lettera. Niente.

Alle sette ancora ho aspettato lungo il viale, i tram si susseguivano radi, deserti, granuli di neve sbattuti dal vento turbinavano senza toccar terra.

Poi la vidi, attraversava il corso quasi correndo, si avviava alla pedana curva contro il vento, raccogliendo strettamente le vesti perché il vento non le gonfiasse.

Raggiunsi anch'io la pedana, il cuore si rompeva in petto. Non era lei.

Al primo tram salí, erano piú delle otto, salii anch'io.

Il sospetto mi avvelenava ogni minuto, ogni metro del percorso, e quando la vidi scendere e, seguitala, la scorsi entrare nel portone dell'avvocato, rimasi in strada senza aver piú la forza di muovermi, di andare avanti o girare sui tacchi.

O l'hanno scoperta o lei ha confessato. Non è possibile altra soluzione. Forse ha confessato, disperata, e adesso chissà dov'è, come la interrogano. Ma se era tanto disperata perché non me l'ha detto, non me l'ha fatto capire?

L'avrei aiutata, non le sarei venuto meno in niente. Le è mancata la forza all'improvviso, o ha avuto paura che io non riuscissi, non sarei mai riuscito ad aiutarla?

Qualcuno verrà a cercarmi, forse, il confessore stesso, o un altro prete.

Sono in casa e aspetto. Certo verrà qualcuno, o magari mi chiameranno dall'arcivescovado, o da qualche parrocchia. Se non ha detto il mio nome faranno loro delle ricerche. So che non mi tirerò indietro, e vorrei che tutto succedesse al piú presto, ma ho paura di confondermi, di arrossire, di dover fare troppe parole, di dover rispondere e spiegare per chissà quanto tempo le stesse cose.

Se ha confessato le avranno fatto mille domande, e lei certo avrà dovuto soffrire chissà quali pene.

28 dicembre, giovedì

Niente e nessuno. Sono rimasto steso sul letto aspettando il suono del telefono, del campanello alla porta, invano. All'ora della posta sono sceso sapendo di incontrare il portalettere a un dato angolo. Veniva avanti sotto la sua borsa, infatti, e mi ha salutato senza fermarsi.

Sono passati appena dieci giorni dalla sera in cui le ho parlato: mi pare incredibile. Sono diverso, la vita ha un altro senso, mi pare ormai che anni interi, mille abitudini e segreti uniscano Serena a me. Dieci giorni, invece: e in piú, già lontani, le settimane, i mesi in cui non abbiamo avuto il coraggio di scambiare un saluto.

Anna, al telefono.
— Stai male? — ha cominciato: — Ce l'hai con me? Fai il muso?
Ridacchiava, aveva voglia di prendermi in giro.
— No, — ho detto: — ma sono stufo.

123

— Come?

— Dico: cosa abbiamo ancora noi due da spartire? Mi pare niente...

Sentivo il silenzio dall'altra parte, il soffio e i respiri.

— Ah, — ha detto, poi: — Vuoi piantarmi.

La voce pareva allegra, normale, ma la sentivo pronta a colpire.

— Non è che voglio. Ma non abbiamo niente da dirci, mi pare. Ormai è una storia vecchia, meglio lasciar perdere. Tu che ne pensi?

Credevo di poter reggere il discorso con la ragione, l'amicizia.

— Comodo dirmi che sei stufo, adesso, dopo che mi hai preso in giro per ben sei anni, ti pare?

— Non ti ho preso in giro, — ho risposto con pazienza.

— Senti: quello che tu combini non mi interessa, non voglio saperne delle tue storie di donne, — e la voce adesso si impuntava stridula: — Non voglio saperne niente. Ma è comodo dirmi che sei stufo. Vienimelo a dire in faccia.

— Non fare cosí, non rendere le cose difficili...

— Difficili?

Ormai la voce s'era spaventata e saliva di tono e precipitava nell'orgasmo di dire. L'ascoltavo cercando di non lasciarmi sopraffare, di non emozionarmi, cercando anche di non essere troppo tollerante per non perdere terreno.

— Non vorrai mica che si continui se non mi sento...,
— dissi.

— Verrai a piangere da me, vorrò proprio vederti, —
gridava la voce dall'altra parte, senza ascoltarmi, senza
cercare di discutere.

— Anna...

— Troppo comodo, troppo comodo. Ma credi di tro-
varne altre disposte a sopportarti, povero... povero...

— Anna, non mi sento piú. Ti voglio bene, sono affe-
zionato, ma non mi sento piú. Dovevamo sposarci quattro anni fa, adesso è tardi, ormai siamo come due com-
pagni di scuola... Ne parleremo...

Ma la voce era isterica, con scoppi improvvisi che mi
impedivano di continuare.

— Ma io ti accompagno da un medico... Sei matto...
Dopo tutte le spese che ho fatto... Ma che diranno in
giro... Voglio vedere dove andrai a finire...

E subito s'impuntò.

— Sai cosa ti dico: chi non mi vuole non mi merita.
Del resto me l'avevano detto di non fidarmi. Ho mai
conosciuto qualcuno dei tuoi? Chi sei? Che ne so se sei
figlio di matti o no? In sei anni, della tua famiglia non
ho visto una sola fotografia. Sai che ti dico? Benissimo,
viva la faccia. Ma verrai a bussare alla mia porta...

— Senti, Anna, ti ho promesso che ne parleremo...

La voce rise con rabbia.

— Certo, certo. Ma verrai a bussare, sentirai che accoglienza. Perché non so proprio cosa tu abbia da lamentare. Per non dire del resto, ma sei venuto e uscito da casa mia e meno che minestre non hai mai avuto.

Mi sentivo sudare, il ricevitore era umido nella mano.

— Anna, — tentai: — per piacere...

— Sicuro, — continuava: — Ma ti verrà un buon mal di pancia, un giorno o l'altro, e allora voglio proprio vedere dove sbatterai la testa. Ti verrà un...

Riattaccò, ma subito fu pronta a richiamarmi.

— Togliti dalla testa che venga a cercarti io, — disse, fredda: — E rimandami subito la mia foto.

— Ne parleremo, ti ho detto. Perché non vuoi...

Aveva riattaccato.

Ecco, è finita. E Serena non lo sa, non sa neanche questo di me. Non gliene ho mai parlato, ma adesso mi pare di averla piú giustamente in me, mi sento piú meritevole.

Lungo, buio pomeriggio. Fuori pioveva, i canarini nella gabbia hanno pigolato per ore.

Alle sette sono corso al viale, sperando ancora, e la suora è arrivata, china sotto l'ombrello, ha preso il tram, sono rimasto solo nell'acqua gelata.

Ho comperato due panini in un bar e sono rientrato a mangiare. Non riesco a staccarmi da questo telefono, da questa stanza, dove prima o poi dovrà pure raggiungermi un segno da lei, da qualcuno.

Timoroso di novità, ho telefonato a Mo.

Era allegro al telefono, e l'ho subito visto solo nell'ufficio.

— Sempre comodo un po' d'esaurimento, vero? — ha detto, poi evidentemente si è pentito della confidenza e mi ha in breve riassunto i movimenti d'ufficio.

Sentivo il suo fiato pesante battere nel telefono, allargarsi in onde fastidiose. Ha solo nove o dieci anni piú di me, ed è un vecchio, ha tutto del vecchio, malgrado il fare burbanzoso. Come sarò io alla sua età, quando Serena avrà appena trent'anni?

Eppure non mi spavento, non mi preoccupo affatto: anzi, se riesco a rifugiarmi in queste fantasticherie mi sembra di riposare, mi scopro improvvisamente allegro, pieno di buone disposizioni, mi sento in pace.

Poi mi sono alzato a prepararmi un caffè: ogni movimento, dal tavolo al gas, dall'armadio alla sedia, l'ho studiato — è stato irritante accorgersene — per essere pronto a correre subito al telefono, alla porta.

127

Non posso credere che tra qualche giorno sarò di nuovo in ufficio, davanti a Mo e Iris, come se nulla fosse avvenuto.

Non so come comportarmi: non ho un amico avvocato, a un avvocato forse avrei saputo confidarmi. Se avessi coraggio, poi, dovrei affrontare la suora alle sette, domandarle di Serena. Ma come? Non finirei con l'aggravare le cose?

Giro, passeggio, nel pomeriggio, stanco di stare chiuso in casa. La città mi ruota attorno estranea, di là e di qua del fiume imbocco strade a casaccio, mi fermo nei caffè e guardo, da un angolo caldo, l'umido e il nero che colano fuori.

Sono entrato anche al museo. Pur vivendo in questa città da sempre, non vi avevo mai messo piede. Ho girato, i quadri avevano poca luce, un guardiano mi veniva dietro appostandosi a distanza quando mi fermavo. Solo una volta sono sfuggito fortunosamente ai pensieri che mi stringono il cervello: quando mi sono trovato davanti al *Ritratto d'ignoto* di Antonello da Messina.

Ho guardato quel viso piano, con quelle poche rughe d'esperienza, quell'occhio all'erta e pacato, quel sorriso di padrone all'angolo della bocca. Il giro del colletto bianco e le morbide, grandi strisce della casacca davano risalto alla carnagione matura, di un candore solenne, vivo, compatto. Veniva fuori energia, ostinazione, saper vivere in mezzo a mille difficoltà, e saperci stare con calma. E ho capito che se mai dovrò parlare di Serena con qualcuno, in arcivescovado o in parrocchia, costui avrà un viso simile e io non mi perderò e non andrò in pezzi solo perché sono sicuro, adesso, di quello che voglio, proprio perché so cosa significa voler bene e la vita non è più inutile, non è più alla giornata, non è più fatta di ore che vengono a galla per poi sciogliersi una dopo l'altra.

Nel tardo pomeriggio ho sostato davanti al convento, spostandomi lungo il muro da un angolo all'altro.

A una cert'ora diverse suore sono uscite, avviandosi a due a due sotto gli ombrelli.

Le ho seguite, sperando assurdamente di scoprire tra

9

esse Serena, ma erano tutte anziane, parlavano sussurrando sotto gli ombrelli, le vesti strusciavano con le pieghe l'una dentro l'altra. All'angolo del viale si sono fermate. C'era un funerale, le ho viste incolonnarsi e sparire lentamente dietro il feretro.

Risalendo, mi sentivo stanco, senza voglie.

— Ehi, va dietro anche le suore, ragioniere, — ridacchiò il portinaio, appoggiato allo stipite.

— Eh, eh..., — feci, spaventato.

— Scherzavo, mi scusi, guardavo il funerale e l'ho visto andar giú poi tornar su. È guarito?

— Sí, — dissi.

Cercai di parlare.

— Sono suore del convento qui vicino, vero? Che ordine è?

— A me lo domanda? — rise lui, gonfiando la faccia rossa: — Mia moglie sa queste cose. Con me divise e sottane non hanno niente da spartire.

— Sono poche, mi pare..., — azzardai.

— Non credo piú di sei o sette, — finí lui, distratto.

Rientrai abbattuto. Sei erano le suore incolonnate dietro il feretro, una o due (la Madre, forse) erano rimaste in convento. E Serena, allora? L'avranno trasferita in un altro convento? In un'altra città?

Di nuovo ho dovuto passeggiare, verso sera, incapace di resistere in casa. A tratti venivano folate di acquerugiola, le strade erano deserte. M'irritava sentirmi cosí debole e accanito dentro la mia noia, dentro l'impotenza che mi occupava a ogni passo, a ogni pensiero.

Mi sono rifugiato in un caffè, ho bevuto un cognac. Il gusto ferrigno nauseava ma speravo assurdamente di trovare coraggio.

Mi sentivo accalappiato dentro quel budello bianco e lucido di falsi marmi, con poca gente ai magri tavolini che leggeva i giornali illustrati, non avevo il coraggio di staccarmi dal banco e uscire nel buio.

Ho infilato una moneta nella macchina e subito un disco cominciò a girare lentamente, portato fuori dal braccio metallico.

Ascoltavo e non riuscivo a pensare, cercavo di farmi forza, di seguire la musica che se ne andava via scivolando senza darmi il tempo di entrarle dentro. Le parole sconosciute non erano ciò che speravo, e la musica non mi portava via, continuava a scivolare via da me, lasciandomi secco, negato a tutto.

Ma uscir fuori costava troppa fatica e un'altra moneta fece scattare un altro disco. Ormai non gli davo piú retta, non sapevo se bere un nuovo cognac o risparmiare e l'unica cosa che mi procurava un fastidio, come un solletico vile, era il pensiero: non bere un altro cognac, risparmia quei soldi. Mi ribellavo per abbattere quel pensiero meschino, cercavo di dirmi: perché devi risparmiare questi soldi? Bevi lo stesso anche se non ne hai voglia, dàtti una lezione, forza — e invece no, il « risparmia quei soldi » restava lí come una macchia di vergogna.

Quando sono uscito, approfittando di altri che aprivano la porta, ho trovato l'aria fresca, un cielo che rasserenava e si rabbuiava al di sopra del fiume nelle alte folate del vento alpino.

Sapevo di non poter piú restar solo, ma non osavo dirmelo, e ho camminato nuovamente verso casa, mi sono costretto a salire le scale, a buttarmi sul letto, per non commettere altri gesti — cinema, telefonate — che mi avrebbero solamente spinto piú in giú.

Sdraiato sul letto, nel silenzio che raramente il pigolio dei canarini incrinava, ho potuto pensare con piú calma a Serena. Tenevo gli occhi chiusi e non avevo bisogno di riflettere. Mi bastava osservarla oltre lo spiraglio della porta, con ansia e pazienza insieme fermarmi a ogni dettaglio, poi attorno a ogni parola udita.

Una smania, un dolore, a notte alta, m'hanno obbligato ad alzarmi, uscire di casa subito.

Il cielo era rasserenato, con stelle altissime e appena visibili. Ho camminato fino al convento, mi sono appoggiato al muro. Non un rumore, solo lo scricchiolio impercettibile dei rami che, oltre il muro, si tendevano crepitanti per il gelo.

Poi voci hanno cominciato, leggere, un velo lentissimo, e solo dopo qualche minuto ho capito che era un canto.

Le suore cantavano nella cappella e pianissimo le voci si adagiavano contro il muro, penetrandovi, uscendone appena come un fiato. Tacevano e dopo lunghi silenzi ancora il canto, debole, spossato, ritornava per perdersi subito in un vuoto più ampio.

Ero gelido, tremavo, e talora non distinguevo più il silenzio dal coro, mi pareva che questo si prolungasse rallentato quando già, forse, le voci s'erano taciute.

Poi i rami ripresero a crepitare nel gelo notturno, e con fatica mi sono staccato dal muro, camminando in mezzo alla strada sono arrivato fino al Po. Scorreva limaccioso, mandando lampi improvvisi nei brevi tratti illuminati dai fanali.

La città, oltre il fiume, splendeva vuota, e la piazza

immensa era quasi bianca, sovrastata da file perfette di lampade. La stanchezza mi impediva di pensare, di dar retta a un'ombra qualunque, potevo appena lasciar correre l'occhio qua e là, dalla massa nera misteriosa che si piegava sul fiume, forse l'ombra del ponte, al preciso rettangolo della piazza chiusa tra i portici deserti.

Mi sono deciso a camminare, ad arrivare almeno fino alla Gran Madre, ma la stanchezza piegava i ginocchi.

Seduto sui gradini della chiesa, col paltò stretto attorno alle gambe, cercavo di prendermi in giro, come se ubriaco, di trovar forza nel compatirmi e nel deridermi per essere lí, alla mia età, incapace di pensare e reso improvvisamente inutile malgrado la voglia chiusa in petto, malgrado un folle coraggio che bruciava lontano.

Due biciclette si avvicinavano lungo il ponte, le gambe dei poliziotti mulinavano leggere.

— Ehi, — fece una voce alle mie spalle.

Una ragazza dal paltò rosso venne fuori dall'ombra della statua che rompeva la gradinata.

— Digli che sono con te, sennò mi portano via. Ti dispiace? Sii gentile.

Ma non sapeva decidersi a staccarsi dalla statua.

I due poliziotti avevano messo un piede a terra.

— Vieni fuori di lí, — disse uno rivolto all'ombra della statua: — Non far storie, sloggia.

Sentivo il tacco della ragazza battere nervoso sulla lastra di pietra.

— Avanti, fuori, — si seccò il poliziotto.

Allora la ragazza apparve, scese di sbieco la gradinata e senza guardare in faccia nessuno s'incamminò svelta oltre la chiesa.

— E non farti piú pescare lí dietro, — le gridò alle spalle il poliziotto.

— Ma guarda che razza di posto si va a scegliere quella, — borbottò l'altro.

Mi guardava, come cercando di capire.

— Documenti, — disse infine.

Non ebbi voglia di far parola, mi parve che sopportare fosse giusto. Porsi la carta d'identità.

La scrutò con scrupolo.

— Lo sa che sono le tre? È ora di dormire, — disse restituendola con un gesto deciso.

— Vado, vado, — dissi.

Già pedalavano dolcemente, con larghe curve per il piazzale deserto, ogni tanto voltandosi indietro a sbirciare.

I passi mi portavano verso casa indipendentemente da ogni mia decisione. Camminavo sentendo i ginocchi molli, le scarpe trascinarsi quasi sul selciato, e una sola cosa mi accorgevo d'aver capito. Era venuta fuori limpida e esatta, come se l'avessi ragionata per giorni interi.

Se non volevo perdere troppo tempo e magari esaurirmi in un'attesa che poteva essere pericolosa, dovevo andare subito a Mondoví. Il padre e la madre di Serena quasi certamente avrebbero potuto dirmi cosa era successo. Forse Serena stessa gli aveva accennato di me, e avrei avuto, forse, un'accoglienza non troppo stupita.

Già cominciavo a contare i giorni, essendoci di mezzo il Capodanno, già mi eccitavo a immaginare l'incontro, i discorsi che avrei dovuto tenergli.

31 dicembre, domenica

Ho dormito lunghissimo tempo.

A una certa ora della notte un gran litigio s'è acceso dietro le finestre della caserma. Sembrava un gioco, invece rumori di brande rimosse e corse e grida hanno continuato a lungo, ferocemente. Non ho avuto la forza di alzarmi a spiare, poi ho faticato gran tempo per riaddormentarmi. Continuavo a pensare a Mondoví, a chi Serena può assomigliare, se alla madre o al padre, avevo voglia di alzarmi subito e di mettermi in cammino ma un'estrema pigrizia mi impediva persino di mutar posizione nel letto.

1° gennaio 1951, lunedí

Aspettavo una telefonata di Anna, convinto, ma non si è fatta viva ed è un gran bene. Non ho energia per discutere: se Anna sapesse in qual stato di debolezza mi trovo arriverebbe qui e in pochi minuti mi persuaderebbe a fare qualsiasi cosa.

Mi aggrappo al pensiero di Mondoví, di domani, per non lasciarmi andare troppo.

Tanti giorni ho aspettato: dev'essere veramente successo qualcosa a Serena, e non so piú cosa pensare, di cosa spaventarmi. Avrei davvero potuto agire diversamente, prendere un'iniziativa? Mi arrovello, ma senza trovare alcuna uscita.

Nella notte canti ubriachi lungo il viale mi hanno raggiunto fin quassú due o tre volte, per spegnersi subito dopo in un grande urlío di risa scomposte.

Fa troppo freddo, non riesce a nevicare. Ma forse nevica a Mondoví, che è vicina alle montagne. Ho cercato tutto il giorno un vecchio atlante che credevo di possedere ancora per scoprire la cittadina, in quale valle, a quali altre città, paesi, fiumi che conosco è piú o meno vicina.

— Ecco, — disse l'autista fermando: — Tetti Bona è là. Con la macchina non vado per questa strada.

C'era appena un sentiero, con pietre aguzze che uscivano dalla crosta gelata, gli spigoli delle case apparivano poco lontani.

— Non piú di un chilometro, — aggiunse l'uomo: — Farà presto. E stia attento alla corriera, nel pomeriggio, sennò starà bloccato lassú fino a domani.

C'era un vento gelido, le costole delle colline mostravano larghe ferite biancastre tra le masse scure dei boschi. M'incamminai attento alle pietre, piegandomi contro il vento. Voltandomi un attimo, fermo per tirare il fiato, non vidi piú Mondoví, scomparsa dietro un costone. Lo strombettare della macchina che ridiscendeva alla stazione si perdeva sempre piú debole lungo le curve invisibili della strada.

Ripresi a marciare senza un pensiero. Il vento faceva salire lacrime agli occhi, i tetti delle case affioravano e sparivano a ogni momento. Poi il sentiero tornò piano, e le case erano al fondo, con le tegole di un cupo colore

139

ammuffito e il taglio brusco dei muri calcinati. Il campanile si alzava di poco sopra il pugno dei tetti.

Camminavo facilmente, ormai, guardando le case avvicinarsi, sotto la coltre plumbea del cielo filavano nubi stracciate, veloci nel vento, dagli orli neri e minacciosi. Le montagne dovevano essere appena piú in là, oltre la massa nuvolosa adagiata sulle colline. Le case si avvicinavano e il sentiero, dopo una leggera discesa, si inerpicava diritto alla punta del campanile.

Una donna, lassú, davanti alla prima casa, guardava. Cominciai la salita e lei s'avviò verso di me, con la veste nera che le sbatteva attorno per il vento.

Quando rialzai la testa l'ebbi davanti.

— Il ragionier Mathis, — disse guardandomi, ferma.

Allora riconobbi i sopraccigli, piú neri e ispidi, uniti in una peluria fitta. I suoi occhi mi scrutavano, scuri e un po' folli, la faccia era magra, scavata di rughe, ferma su un collo e un corpo secchi che nuotavano nella sciarpa e nella veste nere.

— Il ragionier Mathis, — ripeté quasi senza muovere la bocca.

Accennai di sí.

— Sono la madre, — disse: — Ho sentito una macchina, poi l'ho visto venir su. Abbiamo la casa proprio al principio del paese. Ho subito pensato che fosse lei. Chi altri potrebbe venire fino qui...

— Sí, sono io, — dissi.

— Bene, venga su, venga in casa. È inutile farsi vedere dalle malelingue.

Si voltò e prese a camminare china, nera dai capelli alle calze. Camminava puntando un pugno chiuso sul fianco e io allungando il passo l'affiancai, ma non si voltò, non disse parola.

Eravamo davanti alla porta, entrò.

— Venga, — disse da dentro.

Mi fece sedere in una stanzetta dove era un divano di antico velluto verde a fiori. Davanti avevo una tavola, e sul muro erano due grandi fotografie in cornici rotonde. Dietro i vetri, su carta di un bianco grigio, guardavano un uomo anziano e una donna, rigidi, con l'occhio opaco, il torso che sfumava in un alone sempre piú attenuato.

— Mio padre e mia madre, — disse la donna sedendosi di fronte, oltre il tavolo: — Non erano contadini, erano commercianti. Sono falliti, e io ho dovuto sposare un contadino, perché qui in paese o si ha bottega o si ha la terra. Una volta non c'erano fabbriche neanche a Mondoví. Lei non ha un'idea della vita che si fa qua: come tutta la gente di città, che se la spassa, della campagna se ne infischia, ha il suo stipendio sicuro, e dei piccoli commercianti e dei contadini non gliene importa mai. Della campagna si ricordano solo quando c'è la guerra. Allora ci lisciano.

Mi guardava, l'occhio era lucido, le mani strette sul tavolo.

— Vuole un caffè? Un marsala? Un bicchiere di vino?

— Grazie..., — cominciai.

— La credevo piú anziano, — disse fissandomi sempre. Le palpebre cadevano raramente a coprire le pupille accese.

— Ho quarant'anni..., — tentai.

— Lo so. Serena me l'ha scritto. Ma la credevo piú anziano lo stesso.

— Serena. Dov'è? — domandai.

— A Ferrara. Non lo sa?

— Ferrara, — ripetei. La testa mi girava.

S'era alzata.

— Allora: caffè o marsala? Marsala. Il caffè è da fare, — decise, e uscí dalla stanzina.

Ferrara, mi dissi e guardavo le facce dietro i vetri appannati. C'era una stretta finestra che dava sul sentiero, lontano si aprivano buie colline annegate tra le nuvole.

Era tornata con una bottiglia, un bicchiere sul vassoio. Versò e sedette.

— Suo marito, — dissi: — Non c'è?

— A mezzogiorno arriva, — rispose: — Neanche d'inverno riesce a stare in casa. Lavora sempre, s'ammazza di lavoro, voi in città non riuscite neanche a immaginare quanto lavorino i contadini. Voi avete il vostro stipendio, le ferie, e potete mettere la pancia al sole. Qui si vendono l'anima per due lire. Piccoli commercianti e contadini: tasse e lavoro. Io gli operai li rispetto, anche loro lavorano, ma sono piú protetti, non hanno le tasse, la finanza, i dazi. Lo sa cosa paghiamo per portare un quintale di legna o di castagne a Mondoví? Un operaio non farebbe il nostro lavoro neanche a morire. Lei è impiegato. Se mio padre non fosse fallito, non l'avessero imbrogliato prima i fornitori poi la finanza, anch'io avrei sposato un impiegato. Invece ho sposato un contadino, e ho visto come si vive. La fatica lei sa cos'è, dica, sa cos'è?

Mi guardava e le mani si stringevano sul tavolo, la voce era calma ma gli occhi brillavano contro di me.

— Signora..., — dissi.

— Ma sí, chi sta bene non si muove, — sorrise allora lei, socchiudendo gli occhi. Si lasciò andare contro lo schienale della sedia e le rughe si distesero.

— Serena è a Ferrara, — dissi finalmente: — Ma come...

S'appoggiò di nuovo, vivamente, al tavolo.

— Lei non lo sa? — disse, stupita: — Non sapeva che è a Ferrara? Ma non ha letto le lettere?

— Quali lettere.

— Le nostre lettere. Le imbucava, le riceveva, non le ha lette?

— No, — dissi. Mi sentivo debole, sudato, le ginocchia mi facevano male.

Mi guardava e rideva stringendo le labbra.

— Vede cosa vuol dire essere un signore, — disse piano: — Non le ha lette, non le ha lette...

Scuoteva il capo fissando il panno verde del tavolo.

— Non le ho lette, — ripetei storditamente.

— Serena mi diceva tutto, speravamo che lei leggesse. Ha visto come ci si sbaglia? Lei non si è deciso e allora Serena ha chiesto di essere trasferita a Ferrara...

— Serena...

— Sicuro. Lei non si decideva e allora...

Vedevo il suo dito, l'unghia tozza seguire i ghirigori del filo nero sul panno verde, tracciare curve, voltare, riprendere il disegno in mosse insensate.

— Per me lei ha ragione, però, — disse ancora: — Serena ha la sua strada. Se vi foste incontrati in un'altra occasione... Ma ormai è cosí. Sarebbe peccato. Non complicatevi la vita a vicenda.

— E le scriveva che non mi decidevo?

— Se vuole gliele faccio leggere. Poi mi ha scritto che tutto andava male e si sarebbe trasferita a Ferrara. È stata l'ultima lettera, da Ferrara non mi ha ancora fatto sapere niente.

Vidi la sua mano versare un altro bicchiere di marsala.

— Se fosse stato un operaio l'avrei capito, — diceva: — Un operaio ha meno da perdere, decide prima. Ma un impiegato: l'avevo scritto a Serena di non contarci. Se è anziano e ti vuol bene, le ho scritto, si sbriga subito, sennò è difficile. Beva il marsala, è buono, non le farà male.

Mi allungò il bicchiere e lo presi in mano senza accorgermene.

— Io la capisco, sa? Ragioniere, ancora giovane, non va a mischiarsi in una storia cosí complicata. Per me farebbe male. Il mondo è pieno di donne. Serena andrà negli ospedali, alle colonie marine, farà la sua vita. Sposarsi, ma perché? Non ne vale la pena. Gliel'ho scritto, ma lei non mi credeva. Adesso avrà imparato.

Vedevo il panno, i disegni del filo nero, reggevo il bicchiere in mano e con fatica immensa cercavo di capire, di non confondermi.

— Gliel'ho detto che la gente di città è diversa, — continuava: — Ma Serena no, scriveva che lei era un uomo sicuro, che l'aveva capito, in tanti mesi. Secondo me un operaio l'avrebbe fatto. Ma un impiegato: ha troppa figura, ci tiene troppo al mondo. Però ero sicura che sarebbe venuto fin qui, lo sentivo.

Rise, e i suoi folli occhi si chiusero un momento.

145

10

— Non dia importanza alle donne, — sussurrò in fretta, alzandosi: — Le donne non sanno, non contano. Faccia la sua vita, stia tranquillo con il suo impiego. Serena non era per lei: troppo giovane, prima di tutto, e poi è prepotente. Adesso vado. Mio marito una cosa sola non perdona: il mangiare. A mezzogiorno in tavola. Lei stia tranquillo qui, e beva il marsala.

Uscí e rimasi solo. Dalla finestra vidi passare un carro vuoto, lo tirava un bue oscillando la testa. Davanti era un uomo ammantellato che procedeva a occhi bassi.

L'immagine di Serena era lontana e vicina nello stesso tempo, fuggiva in un'ombra lunghissima e mi batteva dentro come una grossa vena dolorosa.

La donna rientrò, posò un pacchettino sul tavolo. Era legato con lo spago.

— Legga pure, — disse: — Sono le lettere, ci sono tutte. Serena scrive bene. Non si direbbe che ha fatto solo le elementari. È sempre stata tanto intelligente. Se non fossimo poveri l'avrei fatta studiare. Per questo l'ho mandata suora, perché non si sprecasse in campagna. Lei era cosí contenta di andar via da questo buco. Beh, beva e si faccia coraggio. Io sono di là. Se ha bisogno, chiami.

Subito la sentii trafficare in cucina. Canticchiava un motivo a bocca chiusa, senza parole, e sentivo i rumori delle pentole e dei passi che andavano su e giú.

146

Un'enorme stanchezza m'era salita dalle ginocchia alla testa e restavo seduto senza pensare, senza cercare piú di ricostruire le parole di Serena, quelle di sua madre.

Fuori il sentiero era deserto, ancora le nuvole erano scese a divorare altri lembi di collina. Un cane abbaiava e un infinito silenzio, quando il cane tacque, avvolse la stanza. Poi i passi e i rumori in cucina tornarono, con quel canto a bocca chiusa, un borbottio modulato e appena percettibile che si muoveva qua e là senza alzarsi o abbassarsi di tono.

D'improvviso fu di nuovo alla porta. Sorrideva, aveva un grembiule davanti.

— Vorrei preparare qui, — disse: — Non mi piace che si mangi in cucina, almeno oggi.

E già aveva sfilato il panno dal tavolo, lo ripiegava accuratamente reggendolo sotto il mento.

— E gli altri figli? — domandai.

— Uno è in collegio, due sono sposate, uno è prete, — rispose senza darmi importanza.

Aveva disteso una tovaglia pulita, portava le seggiole dalla cucina. Il mio bicchiere di marsala ritornò vicino.

Ordinava forchette e cucchiai, ogni tanto alzando gli occhi a guardarmi. Poi incrociò le braccia.

— Sí, — disse, dura: — La gente di città com'è diversa. Cosa crede: che io non abbia avuto educazione? Mio padre e mia madre non erano ricchi, ma non erano figli

di contadini. Sono falliti, e con questo? Non è un diso-
nore. Se non fossero morti, con la guerra mi avrebbero
fatto star bene. Invece niente. Ma mio figlio studierà,
Dio mio se studierà! Non marcirà in questo buco. È in
collegio, è bravo, è coi Salesiani. Anche Serena, se fosse
stata un maschio, avrebbe potuto studiare.

Ritornò con i piatti, i bicchieri, un secchiello d'acqua
in cui immerse due bottiglie dal vetro nero.

— Il vino al fresco, — sospirò china sul secchio.

Uscí di nuovo senza piú guardarmi.

Avevo i piedi gelati e la testa bollente, guardavo la
tavola apparecchiata davanti e non riuscivo a ragionare,
a stringere in mano il filo di mille discorsi, mille idee
contorte che facevano mucchio nel cervello.

— A Torino, — disse forte dalla cucina: — nevica? Se
non si decide a nevicare, quest'anno saranno guai per la
campagna. Mio marito...

Ebbe un riso nervoso e subito ricominciò a canticchiare.

Sentii sbattere la porta, un passo, un respiro.

— È arrivato, — fece lei: — Te l'ho detto che sarebbe
arrivato. Va' un po' di là a vedere. Te l'avevo detto.

Aveva parlato come ridendo. L'uomo respirava, « eh »
disse, sentii ancora il suo passo, mi alzai per aspettarlo
in piedi. Fu sulla porta, era piccolo, magro, con i capelli
grigi e la faccia consumata. Chiuse gli occhi e tese una

mano, ruvida, che toccò appena la mia senza stringerla.

— Sieda, sieda, — disse senza guardarmi e si lasciò
andare su una seggiola. Si chinò verso il secchio, prese
una bottiglia, la esaminò prima di aprirla.

— Lei diceva che sarebbe venuto, — disse guardando
ancora il tappo: — A me pareva difficile.

Alzò gli occhi a studiarmi, assentendo piano con la
testa.

Posò la bottiglia sul tavolo.

— Allora, — disse: — Cosa ha combinato questa ragazza...

Corrugò la fronte aspettando, senza guardarmi piú.

Mi sentii sollevato.

— Non so piú niente, — cominciai: — A me diceva
certe cose, e poi a sua madre ne scriveva altre. È a Ferrara, adesso, e se non venivo fin qui non l'avrei mai saputo. Non capisco, mi sembra d'essere preso in giro,
ecco, preso in giro. Forse mi sbaglio, ma...

Assentiva col capo fissando la tovaglia bianca.

— Non è una cosa semplice, — disse: — Non lo è.

— Lo so anch'io, ma almeno tra noi due credevo che
tutto potesse essere chiaro.

Alzò finalmente gli occhi.

— La facevo piú giovane, — disse: — Non che sia vecchio, ma a quarant'anni uno può anche sembrare piú giovane.

— Sono anche stanco, è stato un viaggio d'inferno. Ci vuol pazienza ad arrivare fino qui.

Sorrise socchiudendo gli occhi.

— Eh, qui è in paradiso, — disse fissando la finestra : — Nevica a Torino? Se non nevica si va male, quest'anno. Gira e rigira, sembra sempre che sia lí per nevicare e invece niente.

Guardava la finestra, le nuvole che occultavano le colline come una densa nebbia. Appoggiò i gomiti sul tavolo.

— Ah, le ha dato del marsala. Le piace, cosí dolce? A me fa venire mal di testa. Assaggi questo vino. È mio. Sono dei pochi con una vera vigna da queste parti.

Versò e il vino fu nero nei bicchieri, fino all'orlo.

— È anche troppo pesante, — disse dopo averne bevuto un piccolo sorso.

Alzò il cappello sulla fronte, sospirando.

— Non è semplice, — disse, e mi guardò : — Ma perché è andato a cercare proprio una ragazza che deve farsi suora? Una donna o un'altra non è lo stesso?

Aspettava che rispondessi.

— Bene, — disse : — La corriera parte alle cinque, lo sa? Ma io l'accompagno col cavallo, sennò c'è troppo da aspettare.

Poi, forte : — Allora, si mangia?

— Vengo, — fece la donna di là: — Se avete fame, puoi tagliare una fetta di salame.

— Vuole salame, — domandò l'uomo guardandomi.

Scossi il capo.

— Già, ha ragione, — acconsentí lui: — Rovina l'appetito.

— Io non capisco questa ragazza, — dissi: — Perché non me l'ha detto, perché è andata a Ferrara? Ci conosciamo solo da venti giorni, cosa voleva che succedesse in venti giorni?

L'uomo guardava la tovaglia, il bicchiere, corrugava la fronte.

— Inutile domandare alle donne, — disse infine: — Non si sa mai come prenderle.

Abbassò la voce, si sporse in avanti.

— Qui bisogna parlar piano, perché lei, di là, sospetta di tutto, — sussurrò: — Non le dia retta, è una donna stanca.

— Eh?, — dissi. Non capivo.

Si rialzò facendo finta di niente. Ancora mi fissava con gli occhi appena socchiusi.

— Ma dica, — fece: — Lei se la sente di stare con una ragazza di vent'anni? Perché non è mica facile, sa.

— Se me la sento?

— Sí, — riprese: — Se la sente o no? Perché le ci vorrà

chissà quanta pazienza. Le donne non sono a posto come noi. Sono matte.

— Ma Serena...

— So anch'io che Serena è una brava ragazza, — fece subito.

E ancora si sporse sul tavolo, accostandosi.

— Io non la volevo mica suora, — sussurrò: — Ma sua madre preferiva vederla pregare che lavorare. La teneva sempre in casa, neanche le commissioni le faceva fare. Io, se fosse stato un maschio, l'avrei portato con me, ma era una femmina, cosa potevo fare? Il torto forse è mio, ma con quella là non si ragiona. Anche il ragazzo mi ha messo in collegio, vuol farlo studiare. E cosí io tiro la carretta da solo.

Si rialzò, soffiando.

La donna entrava con la minestra, riempí i piatti, sedette per rialzarsi subito.

— Fa freddo qui, — disse dalla porta: — tenga pure il paltò.

— In questa casa si mangia bene, stia tranquillo, — disse l'uomo accostando la sedia: — Avanti, coraggio. Per parlare abbiamo tempo.

Si fissò sulla minestra, anche la donna era tornata, sedendosi m'aveva guardato con un sorriso.

— Buon appetito, — disse.

Mangiavamo in silenzio, ogni tanto alzando gli occhi

dal piatto, e l'uomo brontolava tra una cucchiaiata e l'altra. Lei era attenta a ogni mia mossa, ma sentivo ormai la stanchezza sciogliersi lentamente per lasciar posto a un rancore lucido, ostinato. Cercavo di guardarli e di imprimermi bene in mente ogni gesto, ogni piega dei visi. Mi scoprivo ingannato e offeso.

— Dopo ho una frittata, — disse la donna: — Passato un po' il freddo?

S'era alzata e raccoglieva i piatti.

— Lui non ha letto le lettere, — disse al marito.

— Non sono tutti preti ficcanaso come voialtri, — fece lui, senza alzare la voce.

La donna non ribatté, con un suo risolino tornò in cucina e la sentimmo canticchiare.

— Torino, — fece l'uomo: — Non l'ho mai vista. Un giorno o l'altro bisogna che vada.

La donna era rientrata, tagliava la frittata in fette larghe, la scodellò abilmente nei piatti.

— Potevi comperare due grissini, magari a lui piacevano, — rimproverò l'uomo.

— No, — dissi.

— Non sei mai contento, — rise la donna sedendosi.

— Eh, io, il mangiare, voglio sia rispettato, — sorrise l'uomo tagliando la frittata con rapidi colpi di forchetta.

— Non ha fatto un giro in paese, — domandò dopo.

— No, è subito venuto qui, — disse pronta la donna strizzandomi l'occhio.

— La chiesa non è brutta da vedere, è antica, — riprese l'uomo.

— Se non va in paese è meglio, — fu la risposta di lei.

— Perché, — fece l'uomo posando la forchetta sul piatto: — Deve stare nascosto? Sai cosa ti dico? Dopo fa un giro con me, in paese, andiamo a prendere il caffè, ecco. Non mi piace star nascosto. Non siamo mica tutti della tua razza, non sono mica dei Ceppa io. Non ho bisogno di nascondermi, non ho niente da nascondere.

— Cosí tutti avranno qualcosa da dire, — prese a lamentarsi la donna, con voce di pianto, ma aggressiva: — E poi chissà come sparleranno...

— Non le dia retta, — fece l'uomo: — Non riesce a sopportare la gente...

— No, no, no, non voglio che usciate. Non potete stare qui? Dove potreste stare meglio di qui..., — gridava la moglie con gli occhi lucidi. Aveva i pugni stretti sul tavolo, i tendini del collo erano duri e secchi.

L'uomo alzò la mano con la forchetta.

— Va bene, sta' tranquilla.

Poi, sorridendo: — Bisogna sempre accontentarle, queste donne. Per niente si fanno venire il nervoso.

Lei sorrise, i tendini le si rilassarono scomparendo nella pelle rugosa.

— Siete uomini, dovete aver pazienza, — scherzò.

— Siamo qui per questo, pare, — borbottò lui.

— Siete uomini, — ripeté la moglie: — Siete piú furbi, avete piú forza, comandate voi. E allora?

— Giusto, giusto, adesso mangia, — mise fine lui.

Avevamo davanti il formaggio, mele dalla buccia rugosa, castagne e noci.

— Mangi noci, aiutano l'ultimo bicchiere, — aveva detto l'uomo.

Aveva scostato la sedia dal tavolo e teneva le gambe di traverso. Con due dita prese delicatamente una delle mie sigarette.

— Fumo poco, — disse: — Ma una ogni tanto non dispiace.

La donna sparecchiava, lasciò il vino e le noci. Andava e veniva senza piú guardarci, smettendo di canticchiare il suo sordo motivo non appena oltrepassava la soglia della stanzina.

— Eh, la gente di città, — diceva lui: — Se non ci pensate voi a cambiare il mondo, stiamo freschi. Qui si è indietro di mille anni. Non capiamo, sappiamo solo lavorare.

Tirava ingordamente fumo dalla sigaretta, ogni volta studiando il mozzicone.

— Non siamo buoni a tirarci su le brache da soli, ecco tutto, — diceva: — In città sono piú furbi. Scioperano, fanno valere le loro ragioni. Qui siamo al fondo del pozzo.

Guardò attraverso la porta della cucina, poi abbassò la voce.

— Dica un po', questi comunisti. Ma cosa vogliono? Io non credo che mirino a portarci via la terra, ma qui tutti si spaventano. Cosí il prete ha sempre ragione. È l'unico che comanda. Se non fossi vecchio avrei già piantato tutto per andare in città. Da giovane ho lavorato in una filanda, a Bra. Poi mi sono intestardito a non voler padroni ed eccomi qui: solo come un cane.

Tacque, la donna era ritornata con il caffè.

— È almeno caldo? — borbottò l'uomo.

La moglie non rispose, versò lo zucchero, porse le tazze, sedette reggendo la tazza con attenzione. Mi guardava sorridendo, il mento le tremava.

— Allora, — disse: — Cos'ha deciso? Va a Ferrara?

I suoi occhi neri mi scrutavano dilatati, ansiosi.

— Non so, — dissi fissando la mia tazza: — Non so.

L'uomo posò la mano sul tavolo, ma senza batterla.

— Lascialo stare. Farà quel che vorrà, — disse.

— Perché l'importante è la compagnia. Se due non sanno tenersi compagnia..., — aveva cominciato la donna: — E poi no, non si può. È un peccato. Chissà cosa si direbbe in giro...

Questa volta l'uomo batté forte la mano.

— Serena avrebbe potuto sposarsi tre volte, almeno, — disse: — Ma tu no ai contadini, no ai contadini. Vedi cosa succede? A quest'ora avrei dei nipoti e non sarei solo come un cane. Ma tu no, tu no, uno che lavora la terra è nessuno. Non hai mica torto, ma vedi adesso? Cristo, i pasticci delle donne...

La donna rimase zitta, il caffè era nella tazza, intatto. Finalmente lo bevve, a piccoli sorsi, come a nascondere un singhiozzo.

— Vado a preparare il cavallo, — si decise l'uomo, alzandosi: — Ci vuole un'ora a scendere fino a Mondoví, e non voglio tornare col buio.

Uscí trascinando i piedi, la donna mi guardava, minuscola sulla sua sedia, gli occhi folli inchiodati su me.

— Andrà a Ferrara? — domandò piano.

— Non so, — dissi ancora, confuso: — Serena ha raccontato tante cose... Non capisco piú niente.

— È tanto una brava ragazza! — disse allora lei in fretta, cercando di tenere le mani occupate e di non guardarmi: — Sa far di tutto, ricamare, lavare, cucinare. Brava, svelta. La terrebbe in ordine, sa? Io...

Ora il freddo della stanzina mi occupava completamente, tremavo dentro il cappotto e avevo voglia di muovermi, di scappar via.

Mi guardava.

— Bisogna che ci pensi, — dissi a fatica: — È tutto cosí

diverso adesso. Le lettere... Ferrara... Ho bisogno di pensarci.

La donna assentiva col capo.

— Si capisce, — disse piano: — Ma se va, se vi sposate, non venite qui. Vengo io a Torino, porto a Torino anche lui. Qui no, per piacere.

— Va bene, — borbottai.

Guardavo il sentiero oltre la finestra, speravo di scoprire pronti l'uomo e il cavallo.

— Lei è una brava persona, si vede subito, — diceva la donna, affannata. Ma non continuò.

La voce dell'uomo chiamava da fuori.

Ero in piedi, col cappello in mano e lei correva qua e là come cercando qualcosa.

Si fermò, aveva il fiato corto.

— Non le ho fatto vedere la cassapanca con tutta la roba di Serena. Ha tante cose, lenzuoli, tovaglie, lino a chili. Davvero: cose che oggi una ragazza ha raramente. È il suo corredo, che diventi suora o no. È roba bella. Oh, perché non gliel'ho fatto vedere, che testa sono!

Apriva e chiudeva un cassetto, si torceva le mani.

— Cosa posso darle, cosa posso darle, — diceva.

— Per piacere, signora, — mi lamentavo.

— Qualcosa, qualcosa, — continuava lei.

Me le porse trionfante.

Da un altro cassetto vennero fuori caramelle.

— Sono alla genziana, fanno digerire, — disse, rossa in volto.

Ne presi una.

— No, no, — e ne afferrò una manciata, mi alzò il braccio e le infilò a forza nella tasca.

Si teneva aggrappata alla manica del cappotto, attraversammo la cucina in silenzio.

— Dica a Serena di scrivermi. Scrivetemi tutti e due. E non fate figli, non fate mai figli, — disse piano, già sull'uscio.

Non mi guardava piú, gli occhi fissavano il calesse di vecchio legno lucido. Poi si avvicinò a controllare i fermagli che tenevano legate le briglie di cuoio lungo il fianco del cavallo.

L'uomo in mantella era già accomodato, il cavallo con la coperta sulla groppa aspettava, montai e l'uomo allentò il freno stridendo, il cavallo avanzò adagio scuotendo la testa incappucciata. Eravamo sul sentiero, mi voltai e la vidi, stava alla finestrina della stanza dove avevamo mangiato, il palmo della mano appoggiato al petto. Assentí con la testa finché la guardai.

— Poveretta, — fece l'uomo: — L'ho fatta lavorare troppo.

Non aizzava il cavallo, che procedeva attento dondolandosi appena tra le stanghe.

— Adesso lei la vede cosí, un po' fuori posto. Ma è

stata una donna in gamba, — diceva l'uomo a bassa voce: — In paese nessuno la voleva perché i suoi erano falliti. Ha lavorato tutta la vita come una bestia. Ed era intelligente. Ma sono donne cosí, attive, prepotenti, nervose: se gli metti un dito in culo ti portano via l'unghia.

Il cavallo portava un passo dopo l'altro, il carretto sobbalzava sulle pietre sbandando un poco. Le colline lontane erano scomparse nella nuvolaglia, il vento era cessato e il cielo intero appariva una compatta cupola grigia, uniforme.

— Quest'anno non vuol saperne di nevicare, — diceva l'uomo senza guardarsi intorno: — La vede quella pianta là?

Me la indicò con la frusta. Era un tronco chiaro, altissimo, con una larga chioma di rami spogli.

— È un noce. Serena con una corda aveva fatto una altalena. Giocava sempre. Io le gridavo dalla vigna perché andasse a casa a prendermi vino e acqua. Macché, non rispondeva nemmeno. La madre l'ha sempre protetta. La vestiva di bianco come se fosse domenica tutti i giorni, la portava in chiesa, nemmeno i piatti le faceva lavare. S'era messa in testa che fosse una bambina delicata. Niente era mai abbastanza buono per lei, le avrebbe soffiato in bocca per darle brio.

La groppa del cavallo dondolava davanti a noi, dolcemente.

— Calze bianche, scarpe di vernice. Lo so bene io, — disse ancora l'uomo: — Ha fatto di tutto per metterla nelle processioni, farla « figlia di Maria ». Una volta le ha persino tinto i capelli con la camomilla: il prete voleva un angelo biondo per non so quale festa.

Il cavallo aveva affrontato la salita e tirava tendendo il collo, sbuffi di vapore gli uscivano violentemente dalle nari.

— Era una ragazza, cosa potevo dire io? Potevo tirarmela nei campi per forza? Sua madre diceva che era destinata a diventare suora, che non si poteva sognare di piú. Ho sempre digerito tutto. E adesso? Credono che le suore si divertano? Magari chissà che vita fanno. Ci saranno padrone e serve anche da loro.

Si voltò a guardarmi, gli occhi erano nascosti in due fessure.

— Al posto suo, — disse fissandomi, — non avrei il coraggio. Ma lei è piú giovane. Si decida presto, però, o altrimenti mettetevi il cuore in pace tutti e due.

— Ma Serena ha calcolato tutto, è come un imbroglio, — replicai.

L'altro non rispose subito.

— Le donne sono fini, — disse dopo un poco: — Non bisogna mai ragionare troppo con loro. Chi le vuole se le prende e poi se le tiene. Se lei la vuole, la prenda, cosa posso dirle d'altro.

Il carro sbatteva sulle pietre ma dopo poco la strada fu piú piana, di ghiaia frantumata, e il cavallo s'allungò in un placido trotto.

Non parlammo piú, le colline s'addolcivano lentamente, infine apparve Mondoví, chiusa, arroccata, con i binari della tranvia a dentiera che univano nella roccia la città alta alla bassa come una lunga, diritta cintura.

— A casa mia si son spesi piú soldi in libri da messa e candele che in arrosti, è sicuro, — rise sottovoce l'uomo: — Ma sí: ognuno ha un destino sulla testa. Ecco là la stazione.

— Venga a bere qualcosa, — gli dissi quando fummo sul piazzale.

Studiò un momento poi si lasciò scivolare da cassetta.

— Oggi è come festa, ormai, — borbottò.

Al caffè della stazione non c'era nessuno, una ragazza versò il cognac nel caffè. Bevemmo in silenzio, chini sul banco, l'uomo accettò un'altra sigaretta. Uscimmo a fumare e passeggiammo intorno al carretto, ogni tanto lui si accorgeva di un fermaglio, una cinta allentata, li stringeva, si tirava su in un sospiro.

— Mah, — disse infine: — state in gamba, voi due! Per me è mia figlia, una brava ragazza. Ma è inutile che glielo dica io. Mi faccia sapere qualcosa.

— Ma mi ha imbrogliato, — tentai di dirgli: — Mi

ha detto che non c'ero che io, e invece era tutto un calcolo.

Le parole mi uscivano forzate, non mi parevano
vere.

L'uomo studiò il manico della frusta.

— Meglio non dar retta alle donne. S'accaniscono, si
montano la testa per una ragione o per l'altra. Ragio-
nano con l'utero. Io, al suo posto, avrei solo paura della
differenza d'età. A quarant'anni un uomo non ha già
più voglia di mettere troppa pazienza.

Era salito sul carretto, mi diede appena un'occhiata.

— Lei è un bravo ragazzo, ma non mi sembra tanto
pronto. E invece queste son donne da comandare, sennò
succede come a me, che ho perso il rispetto subito. Se
lei riesce a farsi rispettare vivrà bene con una ragazza
come Serena, altrimenti...

Aspettavo che parlasse ancora. Mi guardò, infilò la
frusta nell'anello, ridiscese sbuffando.

— Se non parliamo tra noi uomini, è inutile, — disse.

S'avviò e io dietro. Rientrammo a sedere nel caffè.
La ragazza ci guardò dal banco ma non si avvicinò più
al tavolo.

— Allora, la va a prendere a Ferrara? — fece l'uomo.

S'era appoggiato al tavolo di marmo, avvolto nella
mantella e aspettava.

— Andrei, voglio andare, — dissi piano, vergognandomi: — Ma non la capisco piú, quella ragazza. Parlava, mi diceva tante cose, e adesso mi trovo per aria.

Assentiva senza alzare gli occhi dal tavolo di marmo.

— Siete tutti e due gente di città, cosa volete che vi dica? Se va a prenderla a Ferrara... Io non avrei il coraggio, per parlarci chiaro. Lei non so, non la conosco abbastanza.

— Non so nemmeno dov'è.

Si strinse nelle spalle.

— Ci sono solo due conventi di monache. Cosí ha scritto. Ci va, allora?

Ebbe un movimento sotto la mantella, si ricompose sulla sedia, aggrottando la fronte.

— Ci andrò, — dissi: — Ho sempre pensato di sposarla.

Fece segno di sí con la testa, sospirando.

— Stia all'erta, — disse poi: — Sono donne che se le sai tenere valgono un Perú, altrimenti... Io, per esempio, non ho saputo, con sua madre. Le ho dato troppa corda, mi bastava che lavorasse. Cosí ha sempre comandato lei, non ho mai potuto contraddirla.

Rialzò la faccia in un sorriso.

— Allora ho capito. Va a Ferrara. Ebbene, se avrete coraggio, non vi andrà male. Tutto si aggiusta nella vita.

Sentivo una grigia tristezza salirmi addosso, gonfiare da lontano e abbattersi a ondate. Ma sapevo che sarei andato a cercarla, anche se mi aveva ingannato, anche se le parole d'amore erano nate da costrizioni che non avevano niente da spartire con me. Mi sentivo sbattuto tra scrosci di pensieri contrari e rovinosi, la mia vita, in venti giorni, era stata rovesciata due volte. Ma una parte di me viaggiava già, a Torino, a Ferrara, e trascinava l'altra con languida forza.

Non mi sentivo piú offeso, solo triste. Neppure pensare a lei, che forse mi aspettava, che malgrado tutto non poteva non pensare a me, malgrado il gelo che le era dentro, che le doveva pur agghiacciare i nostri ricordi, neppure pensare a lei mi aiutava molto.

— Se mi vorrà ancora, — dissi: — Io sono pronto. Cosa posso dire di piú.

L'uomo nascondeva la fronte sotto il cappello, prima di parlare strofinò a lungo la nuca contro il logoro colletto di pelliccia che gli chiudeva la mantella.

— Non avessimo bisogno delle donne saremmo tutti signori, — disse.

Capivo che voleva sentirmi parlare.

— Serena, — dissi allora: — Mi ha cambiato vita. Ho sempre pensato a sposarla, gliel'ho detto. Mi sono persino comperato due vestiti. Solo non ho capito che dovevo far presto, ecco tutto. Ma alla mia età si comincia ad andar piano...

— E se tra vent'anni non andrete piú d'accordo? —

fece lui stancamente. Ma non mi lasciò rispondere, con un gesto della mano uscita dalla mantella mi fermò.

— Ma sí, — disse: — Inutile tentare l'avvenire. Allora: quando va a Ferrara?

Mi guardava, le labbra strette e dure sotto i peli della barba.

— Domani, dopodomani, — dissi piano.

Annuí.

— Si capisce, — fece poi sovrapensiero: — Le donne hanno da sposarsi, è la loro condizione. E noi... anche.

Rise senza rumore.

S'era alzato, uscivamo di nuovo sul piazzale. Il cavallo a muso basso batteva lo zoccolo sull'asfalto.

— Vado, prima che mi sorprenda il buio a metà strada, — fece l'uomo studiando l'aria.

Si avvicinò al carretto, salí con un gemito tra i denti.

— Allora, va a Ferrara? È sicuro?

— Sí, — risposi: — Stia tranquillo.

Scrollò le spalle, sorrise guardando la frusta.

— Oh, io sono tranquillo. Son passati i tempi in cui me la prendevo calda.

Si voltò a guardarmi un momento. Poi prese la frusta, la svolse lentamente, esaminandone il fiocco, il logoro manico di strisce di cuoio attorcigliate.

— Fatemi sapere qualcosa, — disse.

Allungò la mano, tenne la mia senza stringerla.

— Stia bene, — fece e spinse il cavallo.

Rientrai in stazione, il vento fischiava di nuovo e gli sportelli della biglietteria erano ancora sprangati. Un vecchio accucciato in un angolo dormiva col cappello sugli occhi, il sacco da mendicante stretto al fianco.

Cominciai a far scorrere i grandi cartelloni rettangolari degli orari. Una riga d'unto correva rettilinea all'altezza di Mondoví, oscurando i numeri che indicavano l'ora di partenza dei treni per Torino.

Ma il cartellone con i fitti orari delle corse da Torino a Milano e da Milano a Ferrara era lindo, senza uno strappo.

Finito di stampare il 5 agosto 1960 per conto della Giulio Einaudi editore S. p. A.
presso le Officine Grafiche U. Panelli in Torino

Ristampa identica alla precedente del 2 marzo 1960